Cerdos en la Sala

GUIA PRACTICA PARA LIBERACION

GUIA PRACTICA PARA LIBERACION

Cerdos en la sala

FRANK & IDA MAE HAMMOND

Edición especial para:

Traducido por: Dr. Pablo Barreto, M.D.
                  A.A. 8025, Cali, Colombia
Carátula por: María Eugenia Téllez

Publicado por: Libros Desafío, Apdo. 29724
                  Bogotá, Colombia

Distribuido por: – Editorial UNILIT, Miami, USA
                  – Libros DESAFIO, Bogotá, Colombia
                  – IMPACT Books, Kirkwood, MO, USA

ISBN 958-95462-3-4
Producto 497717

IMPRESO EN COLOMBIA

BUENA SEMILLA
Apartado 29724
Bogotá, Colombia

Contenido

Prefacio

Actualmente se escribe mucho sobre el tema de los demonios pero pocos libros tratan en forma detallada los aspectos prácticos de la liberación de los espíritus demoníacos. Este libro se presenta a partir de un punto de vista práctico y pretende principalmente servir como una guía para la liberación.

La iglesia está cada vez más consciente de la necesidad de este ministerio que representa una faceta en la obra restauradora del Espíritu Santo para la iglesia de nuestros días.

Este libro también es un llamado de trompeta a la lucha espiritual completa. La iglesia y el creyente individual deben superar el concepto de la liberación personal y pasar al de la batalla espiritual contra las potestades espirituales llamadas "huestes de maldad en las regiones celestes" (Efesios 6:12). Aquí, pues, hay algunas respuestas para llevar a cabo la liberación y la batalla espiritual.

Agradezco, con profundo reconocimiento, la influencia que el Dr. Derek Prince ha tenido en mi ministerio. Muchos de los principios de liberación que se comparten en este libro son producto de sus sanas enseñanzas fundamentales. Deseo también expresar mi gratitud al Dr. Prince por el permiso para citar su oración de liberación. Asimismo, manifiesto mi reconocimiento a Philip K. Brown y a la Sra. Margaret E. Rhudy por la lectura de las pruebas del manuscrito.

Los nombres y las iniciales de todas las personas mencionadas como ejemplos de liberación se han cambiado a fin de evitar cualquier posible reconocimiento.

Todas las citas de las Escrituras son de la versión Reina-Valera de 1960, a menos que se indique otra fuente.

Frank D. Hammond

15 diferentes denominaciones se reunieron para asistir al Congreso de Liberación en la Comunidad Cristiana de Fe; Cali, Colombia.

Introducción

Un pastor que aprende a coger las arañas en vez de sólo limpiar las telarañas

Ahora, más que nunca antes en la historia de la Iglesia en las naciones de habla hispana, se necesita el ministerio de la verdadera liberación espiritual. Se nos ha hablado hasta el cansancio de la "teología de la liberación", cuyo objetivo es buscar la liberación social de la iglesia en el tercer mundo destruyendo las clases sociales. Pero ésta no es la liberación verdadera como la enseñó Jesucristo. Se necesita el ministerio del poder del Espíritu Santo para librarnos del dominio y de la manipulación satánica que durante siglos han reinado sobre la iglesia.

Como pastor misionero en Cali, Colombia, he invertido horas tras horas en consejo espiritual a miembros de nuestra iglesia quienes no podían conseguir una verdadera liberación a través de la consejería, porque estos creyentes necesitaban más que el consejo sabio, más que la exhortación o que la imagen paterna de quien les diera el consejo y les "diera orden a sus vidas, diciéndoles qué debían hacer". El discipulado individual no puede reemplazar al ministerio de la liberación espiritual. Hay personas que necesitan el poder del ministerio de liberación del Espíritu Santo, y no importa cuánto tiempo de consejería personal tuvieran conmigo si yo, como su pastor, no podía llegar hasta las "raíces invisibles espirituales" de su situación. No era suficiente repetirles cada vez lo que debían y no debían hacer, pues su necesidad primordial era ser libres por medio del ministerio de liberación del Señor Jesucristo.

Un día, el Señor me mostró lo que realmente estaba haciendo con mis sesiones de consejería. Me mostró que sólo estaba barriendo telarañas que volvían a aparecer continuamente porque eran el fruto visible de un problema espiritual más profundo. Era necesario, en estos casos, identificar primero a "la araña", la raíz espiritual de todo problema, para no pasar el tiempo barriendo las telarañas que había en las vidas de la congregación.

Hay muchos pastores que se agotan tratando de lograr cambios en las vidas de creyentes sinceros, sin saber que el control espiritual de éstos está bajo el dominio de las "arañas", demonios. Todo Cristiano renovado desea vivir una vida santa, pero muchos no pueden lograrlo sino hasta que, por medio de la liberación, haya sido roto el yugo del hombre fuerte que los ha tenido cautivos por las experiencias y situaciones de su vida pasada que permitieron la entrada a espíritus inmundos que contaminaron sus cuerpos y mentes.

Satanás es mucho más que solamente una "influencia" o un "desorden de conducta" que afecta la vida de cristianos, aunque su empeño es que la iglesia así lo crea y siga en su estado de ignorancia o engaño acerca de la verdadera presencia suya en la vida de muchos "cristianos carnales".

Satanás es un ser que tiene personalidad, que fue arrojado de los cielos juntamente con la tercera parte de los ángeles del Señor, a quienes engañó de la misma manera en que, hoy día, engaña a muchos cristianos y al mundo entero.

El ministerio de liberación no es solamente para un grupo especial de cristianos que tengan "problemas espirituales". ¡De ninguna manera! El ministerio de liberación del Señor Jesucristo es su ministerio inicial para todo nuevo creyente para hacerlo libre de toda fuerza espiritual que lo aprisiona y no le permite crecer ni madurar en Cristo. El primer paso básico que todo cristiano debe tomar en su vida renovada es el de la liberación para ser limpiado de toda contaminación de presencias espirituales malignas que hayan estado dentro de sí desde antes de haber recibido a Cristo.

Estos espíritus inmundos tienen acceso y entran en vidas a través de experiencia personales que haya habido por pecado y desobediencia. Muchos entran durante los años de niñez y adolescencia, por medio de abusos y rechazos de que fueran víctimas algunas personas.

¿Puede Ser Poseído un Cristiano?

¡No! Un cristiano no puede ser poseído porque posesión significa ser dueño de, y Jesucristo es el dueño de todo cristiano, no el diablo. En 1 Cor. 6:20 *"Huid de la fornicación . . . porque habéis sido comprados por precio . . ."* En el Nuevo Testamento la palabra no era 'posesión' sino 'estar bajo la influencia de un demonio' o 'tener un demonio afligiéndole'. Los demonios están en el cuerpo del cristiano tal como cualquier enfermedad y no en su espíritu. Muchas veces estamos tratando de discipular el demonio en un cristiano que no quiere ser discipulado. Debemos crucificar la carne pero echar fuera los demonios. He tratado de crucificar un demonio y echar fuera la carne y esto solamente frustra a la persona.

El Ministerio Tripartita de Jesucristo: Salvador, Liberador y Sanador Para la Necesidad Tripartita del Hombre: En Su Espíritu, Alma y Cuerpo.

El hombre es un ser tripartito, de espíritu, alma y cuerpo. Por tanto, Jesucristo debe ministrar en cada una de estas tres dimensiones del hombre. Algunas personas creen que es contradictorio decir que un cristiano necesita ser liberado de la presencia de un demonio en su cuerpo. Si esta teoría fuera acertada, deberíamos decir que es también contradictorio que los cristianos tengan cáncer u otras enfermedades, ya que en I Pedro 2:24 la Palabra de Dios declara que todas nuestras enfermedades fueron sanadas cuando nuestros pecados fueron perdonados. Los de-

monios pueden ocupar el mismo lugar o el mismo espacio
que ocupa en nuestro cuerpo la enfermedad cancerosa. Los
demonios no habitan el espíritu del cristiano, pues éste fue
regenerado en el instante del nuevo nacimiento. Es el Espíritu Santo quien habita el espíritu del cristiano y está en
unión con él, pero el Espíritu Santo no está en unión con
el cáncer ni con los espíritus satánicos que habitan el
"atrio exterior" del hombre, que es su cuerpo. Recorde-
mos que cuando Jesús limpió el Templo, echó fuera a los
mercaderes del atrio exterior, no del Lugar Santísimo. La
Biblia nos enseña que el hombre es el Templo del Espíritu
Santo. El Lugar Santísimo del Templo de Jerusalén representa el espíritu del hombre; el Lugar Santo, o atrio inter-
medio del tabernáculo, representa el alma; y el atrio exterior representa el cuerpo. El hombre necesita salvación en
tres dimensiones: espíritu, alma y cuerpo. Asimismo, ¡el
ministerio tripartita de Jesucristo suple esta necesidad del
hombre! Regeneración, como nuestro Salvador; Restauración del alma como Liberador y Sanidad del cuerpo, como
nuestro ¡Jehová—Rapha!

Jesús es el Salvador del espíritu del hombre por el poder de "justificación y regeneración". Al nacer de nuevo
por medio del Espíritu Santo, aunque el cristiano recibe
regeneración de su espíritu, muchas veces permanecen en
su cuerpo desórdenes y enfermedades físicas. Jesucristo es
el Liberador del alma echando de allí demonios engañadores que residen en el cuerpo del cristiano y que obstaculizan y obstruyen el crecimiento espiritual del alma. Estos
demonios impiden que el cristiano tenga control total sobre sus decisiones y pensamientos. En el alma están las
funciones de la mente, las emociones y la voluntad del creyente y éste es el campo de batalla de los demonios en la
vida del cristiano.

El Señor les reveló a los esposos Hammond que la esquizofrenia no es un desorden psicológico que se puede corregir con consejería o terapia. La esquizofrenia, según lo
reveló el Señor, es más que una doble personalidad. Se trata de la existencia de dos personalidades distintas e individuales: una, la personalidad real y la otra, la personalidad

de un demonio que se esconde detrás de la personalidad real, fingiendo serla. En este caso, la víctima es un prisionero en una guerra espiritual. El engaño consiste en que la víctima cree que ésta segunda personalidad es realmente una parte de la suya y por lo tanto, nunca podrá ser verdaderamente libre sino hasta cuando el ministerio de liberación de Jesucristo pueda penetrar más allá de la telaraña de confusión y destruir a la araña.

Por muchos años en mi ministerio de pastor, pasé largas horas limpiando telarañas por medio de lo que parecía ser consejo sabio y exhortación. Pero ahora, he aprendido que debo buscar y encontrar a la araña por medio del don de discernimiento de espíritus, y echarla fuera en la autoridad del Nombre de Jesucristo, por el ministerio de liberación para que el Espíritu Santo pueda poner, realmente, en libertad a los cautivos.

Pastor Randy MacMillan
Iglesia Comunidad de Fe
Cali, Colombia

CAPITULO 1

Cerdos en la Sala

Los espíritus demoníacos pueden invadir y habitar los cuerpos de los hombres. Es su objetivo hacerlo así. Al habitar una persona obtienen una ventaja mayor para controlarla que cuando trabajan desde el exterior. Cuando los demonios habitan a una persona se dice que "tiene" espíritus malignos o que está "con" espíritus del mal o que está "poseída" por demonios (Marcos 9:17; Lucas 4:33; Marcos 1:23; 5:2 y Mateo 4:24).

La palabra que se tradujo como "poseído" es el término griego *"daimonizomai"*. Muchas autoridades en el idioma griego dicen que no es una traducción precisa y que se debería haber traducido "endemoniado" o "tener demonios". También muchos equívocos resultan del uso de la palabra "poseído" pues este término sugiere una posesión total. En este sentido un cristiano nunca podría ser poseído por demonios; y no podría ser poseído por demonios porque su dueño es Cristo.

"Sabiendo que fuisteis rescatados de vuestra vana manera de vivir, la cual recibisteis de vuestros padres, no con cosas corruptibles, como oro o plata, sino con la sangre preciosa de Cristo, como de un cordero sin mancha y sin contaminación" (1 Pedro 1:18-19).

"¿O ignoráis que vuestro cuerpo es templo del Espíritu Santo, el cual está en vosotros, el cual tenéis de Dios, y que no sois vuestros? Porque habéis sido comprados por precio; glorificad, pues, a Dios en vuestro cuerpo y en vuestro espíritu, los cuales son de Dios" (1 Corintios 6:19-20).

El cristiano debe considerar siempre a los demonios como invasores innecesarios e indeseables. Un invasor es una persona que ilegalmente y a hurtadillas se apodera del

territorio de otro. Los invasores pueden continuar sus prácticas ilegales hasta cuando se les confronta y se les reta con
base en los derechos legales del propietario. Jesús, con su
sangre, compró al creyente y le ha hecho un mayordomo
de su propia vida. El diablo no tiene ningún derecho legal
sobre él y, por tanto, corresponde al creyente defender
sus derechos. Ningún demonio puede quedarse cuando un
cristiano desea seriamente que se vaya. "Resistid al diablo
y huirá de vosotros" (Santiago 4:7b).

Los demonios consideran el cuerpo de la persona
donde viven como su "casa".

> "Cuando el espíritu inmundo sale del hombre, anda por
> lugares secos, buscando reposo, y no lo halla. Entonces
> dice: Volveré a mi casa de donde salí" (Mateo 12:43-44a).

No es raro que los demonios hablen a través de la
persona a quien se está liberando (Marcos 1:23-24). A
menudo he escuchado a los espíritus del mal declarar,
"Esta es mi casa". Se refieren al cuerpo de la persona, y
pretenden engañar a la persona y al ministro que hace la
liberación haciéndoles pensar que tienen derecho a ese
cuerpo. Pero ningún demonio puede sustentar tal pretensión. Todos los demonios son mentirosos y son engañadores. Los demonios no tienen ningún derecho a los cuerpos redimidos por la sangre de nuestro Señor Jesús.

Cuando a los demonios se les ordena salir de una persona, a veces alegan: "He estado aquí por mucho tiempo",
como si la tenencia o la ocupación les diera derecho al
cuerpo de la persona. Al cristiano se le debe asegurar que
ningún demonio tiene derecho real para habitar su cuerpo.

En el Nuevo Testamento se llama a los demonios 25
veces "espíritus inmundos". El término "inmundo" es la
misma palabra que se usó para designar a ciertos animales
que los israelitas no podían comer (Hechos 10:11-14). El
cerdo era uno de esos animales "inmundos". De acuerdo
con la ley del Antiguo Testamento no se podía comer ni
siquiera tocar. El Nuevo Testamento levanta esta prohi-
bición al demostrar que estas criaturas eran como tipos
espirituales.

> "Y despojando a los principados y a las potestades, los ex-
> hibió públicamente, triunfando sobre ellos en la cruz. Por

tanto, nadie os juzgue en comida o en bebida, o en cuanto a días de fiesta, luna nueva o días de reposo, todo lo cual es sombra de lo que ha de venir; pero el cuerpo es de Cristo" (Colosenses 2:15-17).

La versión ampliada de este pasaje que se acaba de citar, dice así:

"Dios desarmó a los principados y potestades que se habían levantado contra nosotros e hizo un espectáculo y un ejemplo público al triunfar sobre ellos por medio de Cristo en la cruz. Por tanto, nadie tiene derecho a sentarse para juzgarte en materia de alimento y de bebida o con respecto a los días de fiesta, o a los días de luna nueva o al día de reposo. Tales cosas son sólo la sombra de las cosas que han de venir y tienen únicamente un valor simbólico. Pero la realidad, la sustancia, el hecho sólido de lo que antes se mostraba como en sombra, el cuerpo de todo eso, pertenece a Cristo" (Colosenses 2:15-17. Versión ampliada).

Como tipo espiritual, el cerdo es en el campo natural lo que el espíritu demoníaco es en el campo espiritual. Como los israelitas celosos se protegían a sí mismos del contacto con los cerdos, el cristiano se debe guardar a sí mismo de todo contacto con los espíritus del mal.

¿Qué haría usted si una manada de cerdos inmundos entrara a su sala y comenzara a apoderarse de su casa? ¿Permitiría tal cosa? ¿No les prestaría ninguna atención con la esperanza que pronto saldrían por sí solos? ¿O procuraría limpiar toda la suciedad tan rápido como la hicieran? Con certeza que usted no haría ninguna de estas cosas. Usted les echaría tan rápidamente y tan sin contemplaciones como le fuera posible. Y esta debe ser nuestra actitud hacia los espíritus demoníacos. Tan pronto como son descubiertos, deben ser expulsados.

Cada uno de los cuatro evangelios relatan el evento cuando Jesús limpió el templo. Este describe una imagen fuera de lo común de nuestro Señor. Estaba lleno de una justa indignación por lo que había encontrado en el templo. No era tiempo de palabras; era tiempo para la acción y comenzó, personalmente y en forma decidida, a limpiar el templo de todo cuanto lo ensuciaba. Esta es una ilustra-

ción para limpiar nuestros cuerpos, que son templos del
Espíritu Santo, de todo lo que es inmundo. Los espíritus
demoníacos no proporcionan nada bueno, solamente
ensucian. No deben tener más sitio en nosotros que aquel
que, en el templo terrenal, tenían el ganado, las aves y los
cambistas. Podemos obrar con la misma autoridad con que
Jesús limpió el templo y librarnos a nosotros mismos de los
espíritus malignos que nos ensucian. Jesús no hizo ningún
discurso, ni tuvo ninguna discusión con quienes ensuciaban
el templo, simplemente los expulsó.

Tan irrazonable como puede parecer, algunos cristianos no están dispuestos a liberarse de los demonios que les
habitan, como se podría suponer. Algunos, inclusive, se
avergüenzan de admitir la necesidad de la liberación. La
vergüenza nunca debería resultar de tener espíritus sino de
la demora en actuar prontamente para sacarlos. Otros han
caminado de acuerdo con ciertos espíritus durante tan
largo tiempo que no quieren cambiar. En realidad, no
todos los cristianos desean vivir existencias de pureza y
santidad. Hay otros que se han hecho amigos de los cerdos,
pero inclusive el hijo pródigo volvió en sí mientras estaba
con la piara y decidió separarse de los cerdos y volver a su
padre. Oremos para que todos los hijos de Dios que con-
viven con los rebaños espirituales de cerdos vean que hay
una vida mejor.

Un científico investigador en bioquímica, me habló
de un experimento en que trabajaba. Su objetivo era aislar
e identificar los factores responsables de los olores que hay
en las porquerizas. Al determinar la causa del olor de los
cerdos, entonces le sería más fácil encontrar un antídoto.
De esta manera, los cerdos podrían ser más compatibles
con la sociedad humana. Pero nuestro objetivo no es tener
compatibilidad con los espíritus demoníacos. No estamos
buscando mejores maneras para hacer más fácil vivir con
demonios, sino cómo liberarnos de ellos. ¡No queremos
cerdos en nuestras salas!

CAPITULO 2

Nuestros Enemigos Espirituales

Los demonios son enemigos espirituales y es responsabilidad de cada cristiano enfrentarlos directamente en la batalla espiritual.

"Por lo demás, hermanos míos, fortaleceos en el Señor, y en el poder de su fuerza. Vestíos de toda la armadura de Dios, para que podáis estar firmes contra las asechanzas del diablo. Porque no tenemos lucha contra sangre y carne, sino contra principados, contra potestades, contra los gobernadores de las tinieblas de este siglo, contra huestes espirituales de maldad en las regiones celestes" (Efesios 6:10-12).

Pues aunque andamos en la carne, no militamos según la carne; porque las armas de nuestra milicia no son carnales, sino poderosas en Dios para la destrucción de fortalezas" (2 Corintios 10:3-4).

La Biblia emplea la analogía de la lucha con referencia a nuestra batalla con Satanás y sus huestes. Luchar es una descripción exacta y señaladora. Habla de una pelea cuerpo a cuerpo; de agarrarse personalmente con los poderes de las tinieblas. Casi todos nosotros preferiríamos utilizar un cañón gigante para desaparecer a estos enemigos desde muchos kilómetros de distancia, pero esto no es posible. La batalla es muy personal y de cerca. El enemigo es un enemigo espiritual. Las armas son espirituales.

El término lucha también sugiere tácticas de presión. Nos habla de las tácticas que Satanás usa para presionarnos. Así lo hace en las áreas de nuestro pensamiento, emociones, toma de decisiones y en nuestros cuerpos físicos. Con frecuencia los creyentes se sienten oprimidos por el enemigo en una u otra forma. Cuando uno ignora las artimañas y los engaños de Satanás puede volverse en busca de alivio a los tranquilizantes, a las píldoras para dormir o incluso al sofá del psiquiatra. Pero el remedio de Dios para vencer las opresiones demoníacas es la batalla espiritual.

La Biblia nos muestra cómo el cristiano puede a su vez presionar a los demonios para derrotarlos. Por consiguiente, debe aprender las formas prácticas en que esto se hace. Debe echar a un lado sus armas carnales ineficaces y tomar las poderosas armas espirituales. El creyente debe conocer su propio armamento y también saber cómo emplearlo. Asimismo, debe conocer las tácticas del enemigo y cómo derrotarlo.

Efesios 6:12 expresa cuatro cosas importantes sobre nuestro enemigo espiritual.

Primero. Dice que luchamos contra *principados*. El término griego para principados es *"archas"*. Esta palabra se usa para describir cosas en una serie, como gobernantes, líderes y magistrados. Así, una "serie" de líderes o gobernantes describiría su rango y organización. Por tanto, la palabra "principados" nos dice que el reino de Satanás está muy organizado. Las fuerzas de Satanás quizás se parecen mucho a la organización que tiene el ejército, donde el presidente es el comandante en jefe y luego siguen los generales, los coroneles, los mayores, los capitanes, los tenientes y así hasta el último soldado. Satanás es la cabeza de su reino y tiene bajo él un rango de espíritus gobernadores que, al final de cuentas, le están sujetos.

El término "principado" se define como "el territorio o jurisdicción de un príncipe, o la región que da título a un príncipe". Así vemos que estos espíritus gobernadores están asignados a áreas tales como naciones y ciudades. Esto se deduce del relato de Daniel 10. Daniel buscaba una palabra de Dios por medio de la oración y el ayuno y después de tres semanas apareció un ángel. El ángel le explicó que se había demorado en llegar con el mensaje de Dios, porque había tenido un encuentro con el príncipe del reino de Persia. El no se refería a un príncipe terrenal pues, nadie podía contender con un mensajero de los cielos. Hablaba, por tanto, de un demonio príncipe demoníaco. De esto resulta claro que hay espíritus demoníacos que gobiernan, colocados por Satanás, sobre naciones y ciudades a fin de llevar a cabo sus propósitos malvados.

Los problemas que persisten y que de una forma u otra son una plaga para las iglesias y para los hogares pueden, además, indicar la presencia de agentes especiales del mal que han sido asignados para causar problemas también en estas áreas. De esta manera descubrimos que nuestra batalla espiritual comprende mucho más que nuestras vidas individuales. Luchamos por el bienestar de nuestros hogares, de nuestras comunidades y de nuestra nación. El enemigo está cuidadosamente organizado y efectúa sus movimientos con propósitos malignos.

Segundo. Se nos dice en Efesios 6:12 que nuestra lucha es contra *potestades*. La palabra griega para potestades es *"exousias"*. Este término también se traduce como "autoridad" y esta palabra nos dice que los demonios colocados sobre diversas áreas o territorios reciben autoridad para llevar a cabo las órdenes que les hayan sido asignadas.

El soldado cristiano no debe desmayar ni descorazonarse al saber que a quienes él enfrenta han recibido autoridad, porque el creyente tiene una autoridad aún mayor. Está investido con la autoridad del nombre de Jesús.

"Y estas señales seguirán a los que creen: En mi nombre echarán fuera demonios" (Marcos 16:17).

Este versículo dice que el creyente tiene una autoridad mayor que la de los demonios. Los demonios están obligados a someterse a la autoridad del nombre de Jesús.

La Escritura revela que los demonios no sólo tienen autoridad, sino que también tienen poder. En Lucas 10:19 leemos del "poder" del enemigo, la palabra que se traduce poder, en griego es *"dunamis"*. Nuestros términos dínamo y dinamita vienen de esta voz. Pero este hecho no debe intimidar al guerrero cristiano porque en la palabra de Dios ha recibido la promesa que puede tener mayor poder que el enemigo.

"Pero recibiréis poder, cuando haya venido sobre vosotros el Espíritu Santo" (Hechos 1:8).

El poder del creyente le llega con el bautismo en el

Espíritu Santo. Jesús sabe que sus seguidores necesitan *tanto* la autoridad como el poder para enfrentarse al enemigo. Cuando envió a los doce a ministrar, los mandó completamente equipados.

> "Habiendo reunido a sus doce discípulos, les dio poder y autoridad sobre todos los demonios, y para sanar enfermedades" (Lucas 9:1).

Un poco después en su ministerio, Jesús envió setenta discípulos de dos en dos, y al regresar le informaron que habían procedido con éxito ante los poderes demoníacos en el nombre poderoso del Señor Jesucristo. En efecto, leemos así:

> "Volvieron los setenta con gozo, diciendo: Señor, aun los demonios se nos sujetan en tu nombre. Y les dijo: Yo veía a Satanás caer del cielo como un rayo. He aquí os doy potestad de hollar serpientes y escorpiones, y sobre toda fuerza del enemigo, y nada os dañará" (Lucas 10:17-19).

La comisión que Jesús dio a su iglesia suministra la misma autoridad y el mismo poder. En Marcos 16:17 se nos dice que los creyentes pueden expulsar demonios en el nombre de Jesús. La promesa no se limitó a los apóstoles o a los discípulos del primer siglo, sino es una promesa para todos los creyentes de todos los tiempos. La comisión que aparece en Mateo 28:18-20, comienza con esta declaración:

> "Toda potestad me es dada en el cielo y en la tierra. Por tanto id . . ."

Hoy tenemos la misma autoridad y el mismo poder para el ministerio que inicialmente se dio a la iglesia. Sería muy tonto ir contra los espíritus demoníacos sin este poder y sin esta autoridad. La autoridad nos viene por medio de la salvación; el poder llega a través del bautismo en el Espíritu Santo. El poder dado al creyente por medio del poderoso bautismo en el Espíritu Santo se evidencia mediante la operación de los dones del Espíritu (ver 1 Corintios 12:7-11). Dones del Espíritu, como las palabras sobrenaturales de conocimiento y de discernimiento de espíritus, son indispensables en la batalla espiritual.

Este poder, y la autoridad del nombre de Jesús se dieron al creyente para vencer a los poderes demoníacos.

El policía es un ejemplo de autoridad y de poder. Se levanta por la mañana y antes de salir a su trabajo se pone su uniforme y se pone su placa. Todos reconocen su "autoridad" cuando ven su uniforme y la placa, pero hay algunos individuos sin ley que no respetan esa autoridad. Entonces, el policía se pone su cinturón, se cuelga su bolillo a un lado y el revólver al otro. Ahora, ya tiene "poder" para respaldar su autoridad. De manera semejante el cristiano cometería una torpeza si va contra las fuerzas demoníacas sin poder y sin autoridad.

No debemos esperar que Dios venga a rescatarnos. No es tiempo de orar para que Dios nos dé poder y autoridad. *El ya los ha provisto* con nuestra salvación y nuestro bautismo en el Espíritu Santo. Por tanto, él espera que reconozcamos que ya nos dio los recursos necesarios y que vayamos a la batalla espiritual para convertirnos en la iglesia militante que aparece en la profecía:

> "Y yo también te digo, que tú eres Pedro, y sobre esta roca edificaré mi iglesia; y las puertas del Hades no prevalecerán contra ella" (Mateo 16:18).

Tercero, sabemos que la lucha es contra *los gobernadores de las tinieblas de este siglo*. La palabra en griego para "gobernadores del mundo" es *"kosmokratoras"*. Esta palabra se puede traducir como "señores del mundo" o "príncipes de este tiempo". Esta designación del enemigo enfatiza su intención de controlar. A Satanás se le refiere en la Escritura como "dios de este mundo" o "dios de este siglo" (2 Corintios 4:4).

Cuando Adán cayó por el pecado, Satanás obtuvo dominio sobre el mundo. Jesús no negó esta pretensión del diablo, durante las tentaciones del desierto.

> "Otra vez le llevó el diablo a un monte muy alto, y le mostró todos los reinos del mundo y la gloria de ellos, y le dijo: Todo esto te daré, si postrado me adorares" (Mateo 4:8-9).

Es imperativo reconocer que Satanás es un enemigo vencido. Se le ha despojado de su poder y de su reino, y tenemos todo el derecho de tratarle como a un invasor.

Supongamos que usted tiene una propiedad en el campo y coloca avisos a su alrededor que dicen: "Prohibido el paso". Esto significa que usted es el dueño y que tiene derecho legal para mantener a otras personas fuera de ella. Si un cazador llega, no atiende los avisos y la invade, cuando usted le encuentre, puede hacer que salga porque él no tiene ningún derecho para permanecer allí. Es importante comprender que los espíritus demoníacos no tienen ningún tipo de derecho con respecto al cristiano. Pueden invadir, pero si estamos listos a tomar la iniciativa y llamarles la atención, deben salir.

Jesús explicó su competencia para expulsar demonios con estas palabras:

> "Mas si por el dedo de Dios echo yo fuera los demonios, ciertamente el reino de Dios ha llegado a vosotros. Cuando el hombre fuerte armado guarda su palacio, en paz está lo que posee. Pero cuando viene otro más fuerte que él y le vence, *le quita todas sus armas* en que confiaba, y reparte el botín" (Lucas 11:20-22).

Jesús declaró que al hombre fuerte se le quitó la armadura. Esto significa que Satanás ha quedado completamente indefenso. La expresión "todas sus armas" es la palabra griega *"panoplia"* que sólo se usa una segunda vez en el Nuevo Testamento. En Efesios 6:11 el cristiano es exhortado a vestir **toda la armadura de Dios.** Así, el cristiano no es vulnerable en ningún punto, en cambio el diablo lo es en todos.

Satanás aún busca gobernar el mundo y se debe estar de acuerdo en que ha hecho progresos considerables. ¿Por qué? Porque la iglesia no se levanta con el poder y la autoridad que se le dio. Sin embargo, una gran parte del cuerpo de Cristo hoy está alcanzando un mejor conocimiento del enemigo, y de su propia fortaleza y armamento espiritual, y está tomando la ofensiva contra Satanás y sus huestes. Entre más cristianos entren en esta batalla, mayores pérdidas sufrirá Satanás.

Cuarto, la Escritura nos dice que *la lucha es contra huestes espirituales de maldad en las regiones celestes.* En esta frase la palabra clave es "maldad". Este término sugiere todo lo que es altamente dañino o destructor por naturaleza. Estos poderes malignos sólo tienen un objetivo: la maldad. Pueden aparecer como ángeles de luz y con sus engaños llevar a muchos hacia sus redes de destrucción. Jesús desenmascaró sus propósitos malos con estas palabras:

"El ladrón no viene sino para hurtar y matar y destruir . . ." (Juan 10:10a).

Las cuatro expresiones de Efesios 6:12 nos dan un cuadro sumamente vívido del reino de Satanás. Está altamente organizado, para cumplir sus propósitos. Los poderes demoníacos están puestos en orden de batalla, y han recibido autoridad de Satanás para controlar todo el mundo y plagarlo con la maldad más dañina. No hay ventaja para nosotros en ignorar las fuerzas y los métodos del demonio. Esto solamente permite que Satanás obre sin ser descubierto y sin oposición. Dejar de llegar a participar activamente en la batalla espiritual es insinuar que no cuidamos lo que se hace de nosotros mismos, nuestros seres amados, nuestra comunidad, nuestra nación y nuestro mundo.

Muchos cristianos no se han comprometido en la lucha espiritual porque nunca han recibido enseñanza sobre su importancia ni sobre la forma como debe llevarse a cabo. Hoy Satanás ostenta su poder por medio del espiritismo, del ocultismo, de las religiones falsas, y de las sectas, como nunca antes en toda la historia de la humanidad. La iglesia se está viendo obligada a reexaminar sus propios recursos.

Un periódico citó a Billy Graham cuando dijo: "Todos los que estamos comprometidos en la obra cristiana, estamos de manera continua conscientes del hecho que estamos batallando con fuerzas y poderes sobrenaturales . . . Es perfectamente obvio para todos nosotros en la obra espiritual que los demonios pueden poseer a las personas, hostigarlas y controlarlas. Más y más ministros deben aprender a usar el poder de Dios para liberar a la gente de estas terribles posesiones del diablo".[1]

---

[1]Copyright: NATIONAL ENQUIRER, Lantana, Florida.

Dios está hoy, levantando un poderoso ejército que va contra el demonio con armas espirituales. ¡Los resultados son impresionantes! Por medio del ministerio de la liberación millares de miembros del pueblo de Dios están siendo liberados de los tormentos que causan los espíritus del mal.

CAPITULO 3

Pelea la Buena Batalla

Para la iglesia de hoy es una revelación que la despierta, descubrir cuán organizado está Satanás y cuán sistemáticamente está obrando contra nosotros. Mientras a la mayoría de nosotros se nos ha enseñado que la tarea del creyente es ser un testigo de Jesucristo, e inclusive se nos ha entrenado y alentado a testificar, al mismo tiempo no se nos ha enseñado que es también tarea de todo creyente ser un soldado cristiano activo en la batalla espiritual.

¿Cuántos cristianos han sido entrenados *"para derribar fortalezas"* (2 Corintios 10:4) o cuántos saben cómo *"resistir al diablo"* (Santiago 4:7) o cómo *"luchar* contra principados, contra potestades, contra los gobernadores de las tinieblas de este siglo y contra las huestes espirituales de maldad en los lugares celestiales" (Efesios 6:12)?

Como soldados cristianos debemos adquirir conocimiento práctico. Cuando estaba en entrenamiento militar durante la segunda guerra mundial, me enseñaron las armas y las tácticas del enemigo. También las armas y las tácticas que debería emplear contra el enemigo. El ejército de Dios está hoy en campaña. Es imperativo aprender hoy, cómo ser buenos soldados cristianos y a "militar la buena milicia" (1 Timoteo 1:18).

En Efesios 6:11 se nos exhorta a vestir toda la armadura de Dios para permanecer y estar firmes contra las "asechanzas del diablo". La palabra que se traduce como "asechanzas" es *"methodeia"* que significa seguir como método y plan establecidos, el uso de engaños, falsedades, astucias y malas mañas. Satanás tiene un método, un plan definido, para conquistarnos a cada uno de nosotros, junto con nuestras familias, nuestra iglesia, nuestra comunidad y nuestra protección y armas para la guerra ofensiva. Así podremos soportar toda acometida contra nosotros y lanzar un ataque que derrote al enemigo.

La Batalla por Uno Mismo

El énfasis en este libro es la liberación personal. Este es el punto de partida de la batalla espiritual total. Cuando acometemos al enemigo a nivel de la liberación personal, peleamos contra la vanguardia de Satanás. Sus mejores combatientes se mantienen fuera de alcance y debemos llegar a ellos antes que la batalla termine. El primer objetivo en la lucha es liberarse uno mismo.

¿Todos necesitamos liberación? Personalmente, no he encontrado ninguna excepción. Mientras hemos andado en la ignorancia y en la obscuridad, el enemigo ha hecho incursiones exitosas en cada uno de nosotros. Debemos aprender cómo echarlo fuera y cómo mantenerlo fuera.

¡Hable fuerte a los demonios! Esto puede parecer tonto y un poco embarazoso hasta que usted se acostumbre, pero es una táctica efectiva y necesaria en la batalla espiritual. Es obvio que uno debe hablar cuando está expulsando los demonios. También debemos hablar a los demonios que nos asaltan desde el exterior. Por ejemplo, suponga que un demonio acaba de decir a su mente, "fulano de tal piensa que eres un estúpido". Los demonios nos hablan de esa manera. Así plantan semillas de resentimiento y de sospecha. Debes, por consiguiente, aprender a distinguir entre lo que viene de ti mismo, lo que viene de Dios, y lo que viene de Satanás. Entonces podrás dirigirte así al demonio: "Demonio, eres un mentiroso. Rechazo ese pensamiento respecto a mi amigo. Mi mente está bajo la protección de la sangre de Jesús. Te ato en mis pensamientos. Te ordeno salir y dejarme solo en el nombre todopoderoso de Jesús".

Este es un ejemplo de cómo resistir al diablo. Sabemos que la Biblia nos dice que debemos "resistir al diablo" pero quizás no hemos descubierto la manera práctica de llevar a cabo este principio. En todas las palabras que usted utilice, vocalice su posición en Jesucristo y resista a los demonios con el uso del nombre y de la sangre de Jesús. Ellos son invasores y deben huir cuando se les resiste de esta manera. No deje de decirlo repetidamente. Los demonios pueden ser tercos, de tal manera que, por favor, resista hasta cuando su mente alcance paz.

Estudie cuidadosamente las siete formas para determinar la necesidad de liberación (véase el capítulo 6). Pero, sobre todo, sea honesto consigo mismo. Pídale ayuda a Dios para que usted pueda ver dónde y cómo le han invadido los demonios. Esto no quiere decir que usted deba volver sobre pecados y cosas desagradables del ayer. Es simplemente reconocer que los demonios se han aprovechado de esos pecados, y de circunstancias en la vida, a fin de que esos intrusos puedan ser expulsados y a fin de que las puertas se cierren detrás de ellos.

Busque la ayuda del ministerio de liberación en el área donde vive. Tal ayuda es ahora mucho más común de lo que era hace unos pocos años, y Dios está levantando a muchos otros para enseñar a ministrar liberación. Si no hay ninguna ayuda disponible, ore para que Dios la suministre. Reúnase con otros creyentes interesados por esto en el cuerpo de Cristo. Quizás el Señor les dirija a aprender sobre cómo ministrarse unos a otros. En resumen, la liberación se debe restaurar en la iglesia. Es ministerio de la iglesia tanto como la enseñanza, la predicación y la sanidad. Jesús llevó a cabo estos ministerios y comisionó a la iglesia para continuarlos.

Comience a practicar la autoliberación. Seleccione un área de su vida donde sabe que los demonios le causan problemas y ordéneles salir en el nombre de Jesús. Cuando los demonios ven que usted renuncia a ellos en forma absoluta y que está hablando en fe, responderán. No les permita tener un día más sin tropiezos. Romanos 14:17 dice "el reino de Dios no es comida ni bebida, sino justicia, paz y gozo en el Espíritu Santo". Esta es la herencia de Dios para usted *ahora* y de usted depende disfrutarla.

La Batalla por el Hogar

Hoy, en muchos hogares, aunque el esposo, la esposa y los hijos puedan profesar ser cristianos, hay contiendas, divisiones, confusión y caos. Es tiempo que el diablo asuma su parte de culpa que le corresponde, y es tiempo para que las familias aprendan cómo expulsar al demonio de sus hogares.

El punto de partida ideal para la victoria es que cada miembro de la familia se comprometa nuevamente con Jesucristo. A esto debería seguir la liberación de cada uno.

Una cosa muy hermosa tuvo lugar en una iglesia donde nuestro equipo de liberación fue invitado a ministrar. El pastor había enseñado bien el principio del lugar del hombre en el liderazgo del hogar. Uno por uno los hombres pasaron adelante y solicitaron citas para liberación de sí mismos y de sus familias. El ministerio era tan importante para ellos que hicieron arreglos para salir de sus trabajos y pidieron permiso para no enviar a sus hijos a la escuela por un día, a fin de poder cumplir sus citas. Así es la forma como se debe hacer esto. Las familias deben ser alentadas a experimentar juntas la liberación. Cuando toda la familia coopera, y cuando se consideran el uno al otro, el diablo sale derrotado en un santiamén.

Pero algunos hogares tienen obstáculos mayores. No todos los miembros de la familia son creyentes. Algunos pueden estar tan alejados del Señor como para carecer de interés en las cosas espirituales. Si solamente a un miembro de la familia le importa el bienestar del hogar, ¿qué se puede hacer?

El problema de la señora J. era típico de muchos otros a quienes he aconsejado. Ella procuraba hacer lo mejor por vivir para Cristo, pero su esposo la resistía en toda ocasión. La vejaba si ella iba a la iglesia. Además, jugaba mucho y con frecuencia bebía. Ella informó que era violento y castigaba mucho a los niños y que temía mucho por sí misma y por sus hijos. Los tres niñitos ya mostraban los efectos de la tormenta en el hogar, eran tímidos, inseguros, retraídos y nerviosos. La señora J. oraba mucho por su marido, pero él había empeorado en lugar de mejorar. Inclusive, ella estaba planeando divorciarse.

La señora J. consintió en la liberación. Sabíamos que sería difícil para ella retener su completa liberación mientras el ambiente fuera el mismo, pero que tendría un alivio definitivo de sus temores y presiones.

Entonces se decidió que entraríamos en guerra espiritual contra los demonios que controlaban la vida de su esposo y le cegaban a las verdades espirituales.

"Pero si nuestro evangelio está aún encubierto, entre los que se pierden está encubierto; en los cuales el dios de este siglo cegó el entendimiento de los incrédulos, para que no les resplandezca la luz del evangelio de la gloria de Cristo, el cual es la imagen de Dios" (2 Corintios 4:3-4).

¡La batalla no es oración! Es un agregado a la oración. No tiene objeto pedir a Dios algo que él ya nos dio. Dios nos ha dado poder y autoridad sobre el diablo. No debemos esperar que Dios nos saque el diablo. El ya derrotó a Satanás y nos dio la capacidad y la responsabilidad de cuidar de nosotros mismos. Esta verdad es una revelación para muchos creyentes. ¡Es una buena nueva!

No es de extrañar, pues, que tantas oraciones parezcan sin respuesta. Necesitamos dejar de implorar a Dios por algo que ya fue provisto para nosotros y empezar a usar lo que Dios nos ha dado.

Comenzamos la batalla espiritual en favor del esposo de la señora J. Con esa misma experiencia, ella aprendería cómo conducir una batalla espiritual, para continuarla por su cuenta. "Demonios que perturban al Señor J., tomamos autoridad sobre ustedes en el nombre todopoderoso de Jesús. Ustedes buscan destruir este hogar pero no les permitiremos que lo hagan. Estamos sentados junto con Cristo en autoridad espiritual. Conocemos nuestra posición y nuestros derechos. Les atamos a ustedes en el nombre poderoso de Jesús. Quiten sus manos de su vida. Liberen su voluntad para que él pueda ser libre y aceptar a Cristo como su Salvador".

En el curso de pocas semanas el señor J. cambió completamente y fue hecho una criatura nueva en Cristo Jesús. Experimentó el nuevo nacimiento y el bautismo en el Espíritu Santo. La familia junta va ahora a la iglesia y el señor J. se ha convertido en el líder espiritual de su hogar.

No queremos dejar la impresión que todas las batallas espirituales, en situaciones semejantes, terminan con tanta rapidez y tan victoriosamente como en el caso de la familia J., pero hemos visto suficientes victorias por medio de la batalla espiritual como para saber que ésta puede ser asombrosamente efectiva. Otras batallas han tomado mucho más tiempo y algunas progresan lentamente después de meses de haber comenzado.

La batalla espiritual en favor de otro *no* controla la voluntad de esa persona. Ata el poder de las fuerzas satánicas y libera la voluntad para hacer decisiones sin ninguna interferencia de los demonios. Los demonios no son expulsados de la persona sino que se ata su poder durante cierto tiempo. Este tipo de batalla está de completo acuerdo con el principio de lucha espiritual que aparece en 2 Corintios 10:3 y en Efesios 6:12. Estos pasajes nos enseñan que nuestra lucha es contra enemigos *espirituales* y que se debe pelear con armas *espirituales.* Es inútil e impropio ir en la carne a encuentros carnales.

Es mejor hablar en alta voz a los poderes del demonio cuando se va contra ellos pero, no en presencia de la persona comprometida ni en forma abierta ante personas que podrían no apreciar ni entender lo que se está haciendo. Así pues, no es absolutamente necesario hablar en voz alta; se puede desde el espíritu de uno, en presencia de quien usted busca liberar de ataduras demoníacas.

La meta de todo hogar debería ser mantener el patrón de Dios sobre la autoridad divina: esposas que se someten a los esposos, esposos que aman a sus esposas como Cristo amó a la iglesia, e hijos que obedecen a sus padres en el Señor. En cualquier hogar esto reducirá al mínimo las oportunidades del diablo.

La Batalla por la Iglesia

Satanás tiene un interés especial en la iglesia. Podemos creer muy bien que él hará cualquier cosa que esté a su alcance para desviar, obstaculizar, debilitar y destruir el ministerio de la iglesia. En la organización del diablo hay un príncipe demoníaco asignado a cada expresión local de la iglesia. Muchas iglesias tienen una historia de ciertos tipos de problemas. El príncipe espiritual de esa iglesia se puede identificar rápidamente por el tipo específico de problemas que tiene la iglesia.

En algunas iglesias se puede encontrar un espíritu de discordia. Los miembros contienden entre sí. La contienda es una de las principales armas de Satanás. El suscitará los celos y la competencia. Los cristianos entonces se inflarán de orgullo y pensarán de sí mejor que de los otros y tendrán de sí mismos un concepto más alto que el que deberían tener. Mientras los cristianos están peleando entre sí, con toda certeza no luchan contra el diablo. Eso es lo que él quiere y si lo logra, habrá ganado entonces su batalla.

Otras iglesias están controladas por demonios de doctrinas. En algunas puede ser una falsa doctrina.

> "Pero el Espíritu dice claramente que en los postreros tiempos algunos apostatarán de la fe, escuchando a espíritus engañadores y a doctrinas de demonios" (1 Timoteo 4:1).

En otros casos la doctrina puede no ser falsa, pero el diablo estimula una obsesión por doctrinas. Puede levantar un grupo tan concentrado en una faceta de la verdad (por ejemplo, la salvación o la segunda venida) que descuida ministrar el evangelio completo del Señor y entonces, como consecuencia, se desvía la iglesia.

Otros demonios son especialistas en hacer que la iglesia trabaje con base en capacidades y talentos humanos más que con el poder del Espíritu Santo. Como dice 2 Timoteo 3:5 "que tendrán apariencia de piedad, pero negarán la eficacia de ella". Algunas iglesias aún están ciegas al gran derramamiento del Espíritu de Dios en el día de hoy, y continúan trabajando en el poder del hombre.

Hay príncipes espirituales de denominacionalismo y de sectarismo. Su meta es mantener dividido el cuerpo de Cristo. Cuando en cierta ocasión vi un aviso, frente a una iglesia que estaba construyendo un edificio, donde se identificaba a sí misma como "fundamental e independiente" sentí que revelaba el demonio que regía esa congregación. Algunas iglesias son notables por su aislamiento y por su orgullo espiritual.

Otras iglesias pueden estar bajo los demonios de la mundanalidad y del materialismo. Aquí el ministerio espiritual se ha perdido de vista. El énfasis está en las ventas de comida, en las subastas, en bingos y cosas por el estilo.

La lista continúa sin cesar: formalismo, ritualismo, control por el pastor o por un grupo, complacencia, pesimismo, indiferencia, desaliento, obsesión con problemas que no tienen solución, etc., etc.

"Tocad trompeta en Sión, y dad alarma en mi santo monte" (Joel 2:1). El segundo capítulo del libro de Joel llama al pueblo de Dios a levantarse en batalla contra una hueste terrible de maldad. Pero primero lo llama al arrepentimiento y a volverse a Dios.

> "Por eso pues, ahora, dice Jehová, convertíos a mí con todo vuestro corazón, con ayuno y lloro y lamento. Rasgad vuestro corazón, y no vuestros vestidos, y convertíos a Jehová vuestro Dios; porque misericordioso es y clemente ..." (Joel 2:12-13a).

Este es el llamado para la iglesia de hoy. Que cada congregación se arrepienta de sus pecados y se humille delante de Dios. Entonces se levantará en el poder de Dios contra los enemigos espirituales que se alían contra ella. La iglesia debe aprender a levantarse en los lugares celestiales y a salir contra ". . . las huestes espirituales de maldad en las regiones celestes. . . " (véase Efesios 1:20-21; 2:6; 3:10; 6:12 y recuérdese que los lugares celestiales son regiones celestes).

Esos príncipes espirituales sobre las iglesias se pueden atar y sus voces se pueden silenciar. Dios ha dado el poder a su pueblo. Depende ahora del pueblo de Dios hacerlo.

La Batalla por la Comunidad y por el País

El ángel que visitó a Daniel informó que había hallado oposición y luchado contra el príncipe de Persia, es decir, contra el poderoso demonio que dirigía esa nación. Vemos esto como evidencia que Satanás ha asignado un gobernador demoníaco poderoso sobre cada nación del mundo, y, a su vez, sobre cada ciudad y sobre cada comunidad.

El príncipe espiritual que había sobre la comunidad que pastoreaba fue revelado por medio de una visión de Dios. La visión mostró una criatura grande, semejante a un pulpo, que estaba sobre la comunidad. En su frente llevaba escrita la palabra *"celos"*. Sus tentáculos se extendían hacia abajo y estaban enrollándose y aplastando toda faceta de la vida comunitaria: iglesias, escuelas, negocios, hogares, vida social, gobierno, recreación y relaciones personales. Los tentáculos representaban la discordia, la crítica, la envidia, las detracciones, el deseo desordenado (avaricia), la murmuración, el egoísmo y la codicia.

Cuando comenzamos a reflexionar sobre la visión pudimos ver cómo era de cierta y exacta. Los celos y todos sus tentáculos estaban haciendo presa de la comunidad con un abrazo mortal. Cuando llegué a esa comunidad para comenzar mi ministerio, dos pastores se unieron para visitarme y decirme que yo no era necesario ni deseado. Me invitaron a salir del lugar, basados en que sus iglesias eran suficientes para ministrar a la comunidad. El espíritu de los celos estaba mostrándose así entre las iglesias. Dios me enseñó por medio de la visión que mi lucha no debía ser contra los ministros, mis compañeros, sino contra los "principados y potestades" del diablo.

La esperanza para nuestras comunidades y para nuestra nación no reside en los programas sociales ni gubernamentales. Tampoco en la educación ni en la ciencia. Nuestros problemas son básicamente espirituales. Dios nos ha dado armas espirituales y recursos para la victoria. La iglesia tiene la respuesta. Debe tomar la ofensiva contra las filas de las potestades demoníacas mientras haya todavía tiempo. Pero, ¿cómo hacer esto? Luchando contra todas esas potestades en batallas espirituales. Exprese su posición en Cristo y su autoridad sobre esas fuerzas demoníacas, tal como lo haría en alguna batalla personal. Gracias a Dios, los cristianos de todas partes están aprendiendo estas técnicas de guerra espiritual, y se está produciendo un gran avivamiento. ¡Bendito sea el nombre de Jesús!

CAPITULO 4

El Valor de la Liberación

El proceso de expulsar demonios se llama liberación. La liberación no es una panacea, un curalotodo. Pero es una parte importante de lo que Dios está haciendo en el presente avivamiento de la iglesia. Algunos esperan demasiado de la liberación y otros esperan muy poco. Con toda honestidad necesitamos conocer qué papel puede desempeñar la liberación en nuestras propias vidas y recibir el beneficio que ofrezca.

A quienes Dios ha colocado al frente del ministerio de la liberación no tienen que andar buscando personas. Es evidente que Dios siembra un deseo de pureza en los corazones de su pueblo en todo lugar. Continuamente me asombran cuántas personas piden este ministerio y aún me extraño más al ver cuántos vienen sin saber exactamente qué esperar. Vienen porque ya han sido alcanzados por Dios. Son creyentes que desean continuar su crecimiento espiritual y se dan cuenta que se debe eliminar todo obstáculo al desarrollo espiritual.

La iglesia es la novia de Cristo y Cristo viene por su novia. La Escritura declara que la novia debe estar limpia:

"Maridos, amad a vuestras mujeres, así como Cristo amó a la iglesia, y se entregó a sí mismo por ella, para santificarla, habiéndola purificado en el lavamiento del agua por la palabra, a fin de presentársela a sí mismo, una iglesia gloriosa, que no tuviese mancha ni arruga, ni cosa semejante, sino que fuese santa y sin mancha" (Efesios 5:25-27).

La liberación es una parte esencial en la preparación de la novia de Cristo para despojarse de "manchas" y "arrugas". Como la iglesia por la cual viene Cristo debe ser "santa y sin mancha", debemos estar de acuerdo en que los espíritus inmundos han de ser expulsados de nuestras vidas. ¿Es esta limpieza un acto soberano del Señor, o implica alguna responsabilidad de parte del creyente?

> "Gocémonos y alegrémonos y démosle gloria; porque han llegado las bodas del Cordero, y su esposa se ha preparado" (Apocalipsis 19:7).

Este versículo enfatiza la responsabilidad del hombre. A nosotros nos corresponde estar listos para la llegada de nuestro Señor. Algunos parecen esperar la llegada del Señor como un tiempo cuando automáticamente habrá grandes cambios y cuando todas las deficiencias se remediarán en forma instantánea y milagrosa. La Escritura dice muy claramente que:

> ". . . todos seremos transformados, en un momento, en un abrir y cerrar de ojos, a la final trompeta. . ." (1 Corintios 15:51-52).

Como esto se refiere solamente a nuestros cuerpos mortales que se convierten en inmortales, debemos evitar interpretaciones incorrectas de este pasaje.

Los versículos de la Carta a los Efesios, citados anteriormente, afirman que la novia es limpiada por el lavamiento del agua *por la palabra*. En un sentido, nos lavamos, pero en otro sentido, el novio lo hace al proveer el agua, la Palabra. Todos saben que una novia pasa un tiempo considerable delante del espejo, preparándose para su novio. La palabra de Dios es el espejo delante del cual debemos permanecer en nuestro tiempo de preparación.

> "Porque si alguno es oidor de la palabra, pero no hacedor de ella, éste es semejante al hombre que considera en un espejo su rostro natural. Porque él se considera a sí mismo, y se va, y luego olvida cómo era. Mas el que mira atentamente en la perfecta ley, la de la libertad, y persevera en ella, no siendo oidor olvidadizo, sino hacedor de la obra, éste será bienaventurado en lo que hace" (Santiago 1: 23-25).

Cuando Ester se alistaba como novia para su rey, tuvo un tiempo de preparación. La Escritura nos dice que gastó un año completo en purificar la carne. Pasó seis meses "con óleo de mirra", y seis meses con "perfumes aromáticos y afeites de mujeres" (véase Ester 2:12). El rey sumi-

nistró todo lo que ella necesitaba. Estas cosas nos hablan
simbólicamente. Nuestro Rey ha provisto los medios con
los cuales debemos purificar nuestra carne. El óleo de
mirra representa la unción del Espíritu Santo. Debemos
ser ungidos con el Espíritu de poder. Los perfumes aromáticos usados por Ester representan el fruto del Espíritu.
Hoy hay un énfasis fuerte y fresco en los dones y en el
fruto del Espíritu Santo. La novia está preparándose.

> "Porque el Señor es el Espíritu; y donde está el Espíritu del
> Señor, allí hay libertad. Por tanto, nosotros todos, mirando
> a cara descubierta como en un espejo la gloria del Señor,
> somos transformados de gloria en gloria en la misma ima-
> gen, como por el Espíritu del Señor" (2 Corintios 3:17-18).

Los demonios son enemigos de los dones y del fruto
del Espíritu. Pueden hacer que no se den en la vida del cristiano y, por tanto, impedir la preparación del creyente
para la venida del Señor. De ahí que la liberación sea parte
vital en la preparación de la novia, que se realiza hoy en
día.

Por ejemplo, uno de los dones del Espíritu es la profecía. La Escritura dice:

> "De manera que, teniendo diferentes dones, según la gracia
> que nos es dada, si el de profecía, úsese conforme a la me-
> dida de la fe" (Romanos 12:6).

El demonio de la duda o de la incredulidad puede
bloquear el fluir de la fe, y por tanto bloquear el fluir de la
profecía. El don de la profecía sólo puede venir a una persona después de reprender y expulsar los espíritus que obs-
taculizaban su fe. Esto también es cierto de otros dones. Se ha descubierto que algunas personas que habían
recibido el bautismo en el Espíritu Santo no podían hablar
en lenguas y que otras apenas se limitaban a unas pocas
palabras. A menudo se debe a interferencia demoníaca. En
muchos casos las personas se han involucrado en prácticas
ocultistas. Puede haber sido algo de apariencia tan inocente
como haber jugado con la tablita ouija. Pero tal participación en lo oculto, no importa si se hizo en ignorancia o
a sabiendas, abre la puerta a la opresión demoníaca e impide ejercitar los dones del Espíritu. Es importante despo-
jarnos de todo lo que se haya invitado a entrar en nuestras

vidas a través de lo oculto. Hay que pedir al Espíritu Santo que revele y traiga a la memoria cada puerta que haya sido abierta por nosotros mismos o por otros, a lo largo de la vida.

El fruto del Espíritu es un blanco especial del enemigo. El fruto principal y más importante, el primero, es el amor. El amor es algo que se debe recibir y también dar. El *demonio del resentimiento* puede derrotar el amor en la vida de una persona. Muchos individuos no pueden comprender por qué son incapaces de amar a los demás como debieran. Tal problema es una fuerte indicación de la presencia de un espíritu de resentimiento o de falta de perdón. El resentimiento usualmente invita otros demonios como *amargura, odio* y *cólera.*

El amor también puede ser impedido por *un espíritu de rechazo.* Este espíritu es muy común y a menudo se encuentra como el "hombre fuerte" o espíritu "gobernante" dentro de una persona. El rechazo tuvo oportunidad de entrar cuando un individuo no recibió amor ni fue amado cuando era niño. Los padres pueden fácilmente abrir la puerta al espíritu de rechazo en sus hijos, si dejan de dar a esos niños el amor conveniente. Cuando el rechazo es fuerte, evita que la persona reciba el amor que otros le ofrecen. También impide que esa persona dé amor a otros. El demonio de rechazo se debe expulsar para que la persona pueda madurar en el amor cristiano.

Si Satanás tiene éxito en hacer que un cristiano sienta como un estigma el haber sido poseído por demonios, puede evitar que ese cristiano busque liberación. Aunque no es posible echar toda la culpa a Satanás y a sus demonios por nuestros problemas, sí encontramos que podemos culparlos por mucho más de lo que alguna vez pensamos. De hecho, muchos cristianos ignoran que los demonios son responsables de algunos de sus problemas. Cuando nos enteramos que invaden nuestras vidas, entonces debemos en serio interesarnos en ser liberados de ellos.

Muchos cristianos de hoy encuentran ayuda real por medio de la liberación. Los problemas que no se habían resuelto por las vías conocidas de ayuda, ahora se resuelven por medio de la liberación. Esto hace que nos preguntemos ¿por qué nos hemos demorado en ver estas verdades en la palabra de Dios?

CAPITULO 5

Cómo Entran los Demonios

Los demonios son personalidades perversas. Son espíritus malos, son seres espirituales. Son los enemigos de Dios y del hombre. Sus objetivos son tentar a los seres humanos, engañar, acusar, condenar, oprimir, ensuciar, resistir, oponerse, controlar, robar, afligir, matar y destruir.

Los demonios entran por medio de puertas abiertas, si reciben una oportunidad. Deben hallar alguna abertura. En otras palabras, no se coge un demonio al andar por la calle, y toparse accidentalmente con alguno que ande buscando "casa".

La organización del reino de Satanás le capacita para atacar personalmente a cada uno de nosotros. No hay nadie en la faz de la tierra que escape al acecho de Satanás. El traza un plan para arruinar y destruir a todos. Es tremendo darse cuenta que usted y yo somos blanco definido de las asechanzas de Satañas. Pero ¿cómo logra entrar?

Pecado

Uno mismo puede abrir la puerta para que entren los demonios con los pecados de omisión o de comisión. En Hechos 5 se menciona a una pareja constituida por Ananías y Safira. Vendieron su propiedad para poder dar todo el producido en beneficio de la Iglesia. Pero se volvieron codiciosos y decidieron guardar parte del dinero para su propio provecho. A fin de encubrir su acto perpetraron una mentira. Mas Pedro recibió una palabra sobrenatural de conocimiento sobre lo que habían hecho. Pedro preguntó a Ananías por qué se había abierto al diablo:

"Y dijo Pedro: Ananías, ¿por qué llenó Satanás tu corazón para que mintieses al Espíritu Santo, y sustrajeses del precio de la heredad?"(Hechos 5:3).

A causa de su pecado Ananías y Safira abrieron puertas para ser llenos de los *espíritus de codicia, de mentira y de engaño*. Lo mismo puede suceder a todo el que peca voluntariamente.

En Gálatas 5 hay una lista de diecisiete "obras de la carne". Incluye los pecados de adulterio, fornicación, brujería, odio, ira, contienda, envidia, homicidio, borrachera, etc. A través de mis experiencias en liberación he encontrado demonios que responden a cada una de estas designaciones. Entonces, ¿cuál es la relación entre las obras de la carne y las obras de los demonios? Cuando el hombre cede a la tentación, peca en la carne. Por medio de ese pecado se abre la puerta para la invasión del enemigo. Entonces hay un problema compuesto, la carne y el diablo. La solución es doble: crucificar la carne y expulsar los demonios.

Un ejemplo clásico de puerta abierta por el pecado de omisión es no perdonar. En el caso del siervo injusto (Mateo 18), fue entregado a los atormentadores porque no quiso perdonar a su consiervo después que él mismo había sido perdonado por su amo. Dios nos advierte que todos los que hemos experimentado su perdón y rehusamos perdonar a otros, seremos entregados a los atormentadores. ¿Qué designación más clara se puede encontrar para los espíritus demoníacos, que el nombre "atormentadores"? La falta de perdón abre la puerta a la tortura del resentimiento, al odio y a otros espíritus que se relacionan con ellos.

Circunstancias de la vida

Los espíritus del mal no tienen el sentido de jugar limpio. Nunca vacilan en aprovechar completamente los momentos de debilidad en la vida de una persona. Desde luego, el tiempo más débil en la mayoría de las vidas es la niñez. Un niño depende por completo de otros para su protección. Sin ninguna duda, casi todos los demonios encontrados durante mi ministerio entraron en las personas durante la niñez. Los padres cristianos necesitan comprender sus responsabilidades para proteger a sus hijos, y también saber cómo liberarlos de opresiones demoníacas.

Una de las primeras preguntas que se hace en la consejería antes de ministrar la liberación es: "¿Cómo te relacionabas con tus padres cuando eras niño?" En la mayoría

de los casos esta pregunta abre la puerta para una lista de
quejas por las cuales se culpa a los padres. Cuán a menudo
he escuchado respuestas como: "Mi padre era alcohólico".
Y siguen relatando diversos temores que se asociaban con
esta condición del hogar. Había inseguridad, y a menudo
pobreza, porque el padre no podía suministrar todo lo indispensable para el hogar, porque gastaba el ingreso familiar en mantener su adicción al alcohol. Si un niño crece en
un hogar así, desde pequeño va a sentirse preocupado y
avergonzado. La forma más rápida de entender qué puertas se han abierto para que entren los demonios es oir un
relato de la niñez de la persona.

La astucia de la herencia

Se han encontrado muchos casos donde los espíritus
inmundos pudieron habitar personas mediante la artimaña
de la herencia. Si a un niño se le dice que será como sus padres y que puede esperar heredar sus debilidades, entonces
se vuelve vulnerable. Mi propia madre era una persona muy
nerviosa. Cuando yo era muchacho, ella tuvo una crisis
nerviosa. Entonces, desarrollé el temor de heredar esa debilidad. El temor de ser nervioso en realidad me abrió para
que fuera así. Mis nervios comenzaron a fallar. Era como si
algo, estuviera dentro de mi cuerpo y se arrastrara por toda
mi persona. Así me debilitaba y no podía cumplir mis responsabilidades como pastor. El médico me ordenó barbitú-
ricos que me convirtieron en una persona somnolienta y
no hacía más que dormir. Mi carga de trabajo se acumulaba
y me ponía más nervioso. Estaba, pues, en un círculo vi-
cioso, del cual no veía escapatoria. Varias veces estuve a
punto de renunciar a la iglesia y dejar el ministerio. Hace
cinco años fui liberado del *demonio del nerviosismo* y de
sus espíritus relacionados. A partir de entonces no hubo
más nervios hormigueantes ni necesidad de más drogas. Los
demonios que me habían dicho que yo debía ser como mi
madre eran todos mentirosos.

Si permitimos al diablo hacerlo, nos dará nuestra herencia, pero el salmista dijo de Dios;
        "El nos elegirá nuestras heredades"
        (Salmo 47:4a).

El nos escogerá nuestra herencia. He visto a muchos otros que, como yo, habían aceptado las mentiras y los temores sugeridos por el diablo. Muchas personas están a punto de sufrir colapso por el temor de una enfermedad mental. Como uno de los padres tuvo este problema, el diablo dice, "esta es tu herencia". ¿Sabía que tal persona puede estar tan poseída por el temor de una enfermedad mental que, eventualmente, puede terminar en un hospital psiquiátrico? He visto a muchas personas liberadas de este particular miedo atormentador.

Mi padre murió de un ataque al corazón. Mi madre agonizaba por problemas cardíacos. Mis tíos y tías habían muerto de la misma forma. El diablo se mantenía diciéndome que esa era mi herencia. Cuando fui al médico para un chequeo, comenzó a preguntarme sobre la historia médica de mi familia, y al saber todos esos antecedentes me predijo que yo también enfermaría del corazón. A la edad de 46 años ingresé al hospital por fuertes dolores en el tórax. En el momento del ataque alguien me dio una tableta de nitroglicerina y el dolor desapareció instantáneamente. El médico no pudo encontrar ninguna lesión en mi corazón pero estaba seguro que yo había experimentado un ataque cardíaco leve. Dos meses después de haber dejado el hospital tuve un segundo ataque. Me dio un domingo en la mañana antes de levantarme. Por esa época ya había sabido de la forma en que obraban los demonios y anuncié a la congregación que tendríamos una reunión especial esa tarde donde ellos ministrarían liberación y echarían fuera *el demonio del ataque cardíaco.* De esto hizo ya cinco años, y desde entonces nunca he vuelto a experimentar ningún dolor en mi pecho y no espero experimentar un solo dolor de nuevo. No acepto la herencia propuesta por el diablo, sino acepto la sanidad y la salud del Señor Jesucristo.

"El ladrón no viene sino para hurtar, matar y destruir; yo
he venido para que tengan vida, y para que la tengan en
abundancia" (Juan 10:10).

CAPITULO 6

Siete Maneras para Determinar la Necesidad de Liberación

La presencia y la naturaleza de los espíritus del mal se pueden conocer por dos métodos principales:

1. Discernimiento. 1 Corintios 12:10 menciona el discernimiento de espíritus como uno de los nueve dones sobrenaturales del Espíritu Santo. Un ejemplo de cómo opera el don del discernimiento de espíritus me sucedió dos días después de haber sido bautizado en el Espíritu Santo. Se me había pedido dar un testimonio en una reunión de los Hombres de Negocios del Evangelio Completo y estaba sentado en la plataforma. En la parte posterior del auditorio había una gran cantidad de hippies. Uno de ellos se levantó y pasó al frente con otros dos de sus compañeros que subieron y le siguieron. Cuando miré al primer muchacho sentí un dolor en el estómago como si me hubiesen dado un puñetazo. Volviéndome hacia la persona que estaba a mi lado le dije, "¿Está ese hombre en el Espíritu del Señor?" El me contestó, "No lo sé, pero con seguridad no parece nada bueno" "Claro, ¡tiene un demonio!" exclamé. El hermano que estaba a mi lado, sugirió, "Quizás usted tiene el don de discernimiento". Con una seguridad que no supe de dónde salía, dije: "No sé qué tengo, pero sí sé lo que él tiene. ¡Tiene un demonio!" Ahora bien, los dones del Espíritu Santo eran relativamente desconocidos para mí en aquella época y no sabía nada sobre espíritus demoníacos.

Mientras esto sucedía, el hippie de cabellos largos subió a la plataforma, tomó el micrófono y levantando sus manos al aire declaró, "Yo soy el camino, yo soy Jesús". Entonces todos supimos que tenía un demonio. Cuando se unió a sus amigos al lado de la plataforma, varios del audi-

torio se levantaron simultáneamente y reprendieron los demonios de los tres jóvenes. Nadie les tocó, pero todos cayeron al suelo, derribados por un poder invisible. Luego los
recogieron y los sacaron del salón. Como resultado de esta
demostración del poder del Espíritu Santo, muchos de la
comuna hippie llegaron a los pies de Cristo. Estos tres
hombres eran sus líderes.

2. Descubrimiento. Es el segundo método para conocer
la presencia y la naturaleza de los espíritus del mal. El descubrimiento es simplemente observar lo que los espíritus
hacen a una persona. Cuando Jesús estaba aquí en la tierra,
encontró a la gente bien familiarizada con los demonios.
Jesús no tuvo que enseñar sobre la existencia de los espíritus del mal ni explicar cómo se pueden meter dentro de
una persona y habitar en ella porque esto era de conocimiento común. Un ejemplo de esto se encuentra en Marcos
7: 24-30. La mujer sirofenicia llegó a Jesús para rogarle
que expulsara un espíritu inmundo de su hija. En el relato
paralelo de Mateo la madre dice:
"Mi hija es gravemente atormentada por un demonio".
¿Cómo sabía ella esto? Lo sabía por los síntomas. Hoy
podemos aprender a descubrir los espíritus del mal, obser-
vando lo que hacen en una persona. Algunos de los síntomas más frecuentes producidos por los demonios que habitan en un individuo son los siguientes:

A. **Problemas emocionales.**

Son perturbaciones de las *emociones* que persisten o reinciden. Algunas de las perturbaciones más
comunes son: resentimiento, odio, ira, miedo, rechazo (el sentimiento de ser indeseable y de no ser amado), autocompasión, celos, depresión, preocupacio-
nes, inferioridad e inseguridad.

B. **Problemas mentales.**

Son perturbaciones de la *mente o de* los pensamientos tales como diferir las cosas de un día para
otro sin decidirse, intransigencia, como tormento
mental, confusión, duda y pérdida de la racionalidad
y la memoria.

C. Problemas del habla.

Brotes explosivos o uso incontrolado de la *lengua*. Esto incluye la mentira, la maldición, la blasfemia, la crítica, la burla y el chisme.

D. Problemas sexuales.

Son pensamientos y actos sucios, recurrentes, referidos al *sexo*. Aquí se incluyen las experiencias sexuales fantasiosas, la masturbación, la lujuria, las perversiones, el exhibicionismo, la homosexualidad, la fornicación, el adulterio, el incesto, la insinuación y la prostitución.

E. Adicciones.

Las adicciones más comunes son a la nicotina, al alcohol, a las drogas, a la cafeína y a los alimentos.

F. Enfermedades físicas.

Muchas enfermedades y aflicciones físicas se deben a espíritus de enfermedad (ver Lucas 13:11). Cuando se expulsa un demonio de enfermedad, siempre es indispensable orar por la sanidad de cualquier daño que haya resultado. Así, hay una relación muy estrecha entre liberación y sanidad.

G. Errores religiosos.

Cualquier grado de participación en el error religioso puede abrir la puerta a los demonios. Se sabe que los objetos y la literatura procedentes de error religioso, atraen los demonios a las casas.

1. **Religiones falsas,** por ejemplo, religiones orientales, religiones paganas, filosofías y ciencias mentales. Hay que notar que esto incluye disciplinas tan populares como los ejercicios de yoga y el karate que no se pueden separar de la adoración pagana.

2. **Sectas cristianas,** como el mormonismo, los testigos de Jehová, la ciencia cristiana, el rosacrucismo, la teosofía, el unitarismo y muchas

más. Tales sectas niegan o confunden la necesidad de la sangre de Cristo como la única vía para la expiación del pecado y para la salvación. Las sectas también incluyen algunas logias, sociedades y organizaciones sociales que usan la religión, la Escritura e inclusive a Dios, como fundamento, pero omiten el sacrificio expiatorio de la sangre de Cristo. Todos esos cultos y sectas se pueden clasificar como "religiones sin sangre", ". . . que tendrán la apariencia de piedad, pero negarán la eficacia de ella . . ." (2 Timoteo 3:5).

3. El ocultismo y el espiritismo. Es decir sesiones de espiritismo, brujería, magia, tabla ouija, levitación, lectura de la palma de la mano, escritura automática, percepción extrasensorial, hipnosis, horóscopos, astrología, adivinación, etc.
NOTA: Todos los métodos de buscar conocimiento sobrenatural, sabiduría, guía y poder aparte de Dios, están prohibidos (ver Deuteronomio 18: 9-15).

4. Falsas doctrinas. En 1 Timoteo 4:1, el Espíritu Santo nos advierte del gran aumento de los errores doctrinales promovidos por espíritus engañadores y seductores en estos últimos días. Tales doctrinas están diseñadas para atacar tanto a la humanidad como a la deidad de nuestro Señor Jesús; para negar la inspiración de las Escrituras; para distraer a los cristianos del movimiento del Espíritu; para provocar la desunión en el cuerpo de Cristo, para causar confusión en la iglesia mediante la obsesión con doctrinas, junto con una compulsión para propagar tales doctrinas; para hinchar a un individuo con un sentimiento de superioridad en la revelación, haciendo de aquel en el error alguien inenseñable; para promover el énfasis en actividades carnales y presentarlas como vía de acceso a lo espiritual, como en el caso de los ascetas o de los vegetarianos.

Siete Pasos para la Liberación

1. Honradez

Se debe ser honesto consigo mismo y con Dios si se espera recibir la bendición de Dios de la liberación. La falta de honestidad mantiene áreas de la vida en tinieblas. Los espíritus demoníacos medran en tales tinieblas, pero la honradez ayuda a sacarlos a la luz. Todo pecado que no se confiese o del cual no haya habido arrepentimiento, otorga al demonio un "derecho legal" para quedarse. Pídale a Dios que le ayude a verse a sí mismo como él lo ve y a traer a la luz cualquier cosa que no sea del Señor.

"Mi pecado te declaré, y no encubrí mi iniquidad. Dije: Confesaré mis transgresiones a Jehová; y tú perdonaste la maldad de mi pecado" (Salmo 32:5).

"Examíname, oh Dios, y conoce mi corazón; pruébame y conoce mis pensamientos; y ve si hay en mí camino de perversidad, y guíame en el camino eterno" (Salmo 139: 23-24).

2. Humildad

Esto implica reconocer que uno debe depender de Dios y de su provisión para la liberación.

". . . Dios resiste a los soberbios, y da gracia a los humildes. Someteos, pues, a Dios; resistid al diablo, y huirá de vosotros" (Santiago 4:6b-7).

Esto también implica una apertura completa con los siervos de Dios que ministran la liberación.

"Confesaos vuestras ofensas unos a otros, y orad unos por otros para que seáis sanados . . ." (Santiago 5:16a).

3. Arrepentimiento

El arrepentimiento es un regreso decidido a apartarse del pecado y de Satanás. Es indispensable aborrecer todo mal de la vida y dejar de estar de acuerdo con el mal.

"¿Andarán dos juntos, si no estuvieren de acuerdo? (Amós 3:3).

Se debe aborrecer el pecado.

"Y allí os acordaréis de vuestros caminos, y de todos vuestros hechos en que os contaminasteis; y os aborreceréis a vosotros mismos a causa de todos vuestros pecados que cometisteis" (Ezequiel 20:43).

La liberación no se debe usar simplemente como alivio de los problemas, sino para ser más como Jesús, por medio de la obediencia en todo lo que Dios requiere. Arrepentimiento es dejar todo aquello que estorba el crecimiento espiritual, el ministerio y el compañerismo. El arrepentimiento necesita una confesión sincera de todos los pecados. Esto quita cualquier derecho a los espíritus demoníacos.

4. Renunciación

La renunciación es dejar el mal. La renunciación es la acción que resulta del arrepentimiento.

"Al ver él (Juan el Bautista) que muchos de los fariseos y de los saduceos venían a su bautismo, les decía: ¡Generación de víboras! ¿Quién os enseñó a huir de la ira venidera? *Haced, pues, frutos dignos de arrepentimiento*" (Mateo 3:7-8).

Producir frutos de arrepentimiento implica más que palabras. Es una demostración del arrepentimiento, es la prueba que ya se dejaron esos pecados. Por ejemplo, si alguien se arrepiente de la lujuria y de la concupiscencia, es necesario que destruya todo material pornográfico. Si alguien se ha arrepentido de un error religioso es necesario que renuncie completa y totalmente mediante destruir toda la literatura y todas las cosas asociadas con tal error.

"Y muchos de los que habían creído venían, confesando y dando cuenta de sus hechos. Asimismo muchos de los que

habían practicado la magia trajeron los libros y los quema-
ron delante de todos; y hecha la cuenta de su precio, halla-
ron que era cincuenta mil piezas de plata" (Hechos 19:
18-19).

Renunciar significa una completa ruptura con Satanás
y con todas sus obras.

5. Perdón
Dios perdona libremente a todos los que confiesan sus
pecados y piden perdón por medio de su Hijo (ver 1 Juan
1:9). El espera que perdonemos a quienes nos hayan
herido en cualquier forma.

"Porque si perdonáis a los hombres sus ofensas, os perdonará también a vosotros vuestro Padre Celestial; mas si no
perdonáis a los hombres sus ofensas, tampoco vuestro Padre
os perdonará vuestras ofensas" (Mateo 6:14-15).

La voluntad de perdonar es absolutamente esencial
para la liberación (ver Mateo 18:21-35). Ningún ministro
que haga liberación puede efectuarla a menos que el candidato haya cumplido las condiciones de Dios.

6. Oración
Pídale a Dios que le libere y que lo mantenga libre en
el nombre de Jesús.

"Y todo aquel que invocare el nombre de Jehová será salvo
. . . (Y todo aquel que invocare el nombre del Señor será
liberado)" (Joel 2:32a).

7. Guerra
La oración y la batalla son dos actividades separadas y
distintas. La oración es hacia Dios y la guerra es hacia el
enemigo. Nuestra batalla contra las potestades demoníacas
no es carnal, sino espiritual (ver Efesios 6:12; 2 Corintios
10:3-5). Es indispensable usar como armas la sumisión a
Dios, la sangre del Señor Jesús, la palabra de Dios, y el
propio testimonio como creyente (véase Santiago 4:7;
Apocalipsis 12:11; Efesios 6:17).

Identifique los espíritus, diríjase a ellos directamente
por su nombre, y con voz de mando y en fe, ordéneles salir

en el nombre de Jesús. Entre en batalla con decisión y seguridad de victoria. Cristo no puede fallar. El es el libertador.

"Y estas señales seguirán a los que creen: En mi nombre echarán fuera demonios . . ." (Marcos 16:17a).

"He aquí os doy potestad de hollar serpientes y escorpiones, y sobre toda fuerza del enemigo, y nada os dañará" (Lucas 10:19).

"Jehová, roca mía y castillo mío, y *mi libertador* . . ." (Salmo 18:2a).

CAPITULO 8

Siete Pasos para Retener
la Liberación

1. Usar Toda la Armadura de Dios

La armadura espiritual del cristiano aparece descrita en Efesios 6:10-18. Hay siete piezas en esta armadura: (1) Los lomos ceñidos con la verdad. (2) La coraza de la justicia. (3) Los pies calzados con el apresto del evangelio de la paz. (4) El escudo de la fe. (5) El yelmo de la salvación. (6) La espada del Espíritu que es la palabra de Dios. (7) La oración en el Espíritu. Es indispensable prestar atención al "yelmo de la salvación" porque es el guardián del pensamiento. La mayoría de los demonios al asaltar los pensamientos busca entrar de nuevo. Conviene ser muy cuidadoso con los pensamientos que se puedan considerar como negativos, porque son del enemigo. Sepárelos de los suyos. Reprenda y rechace los pensamientos que le den los demonios y reemplácelos con pensamientos espirituales positivos (ver Filipenses 4:8). Resista al diablo a la primera señal de ataque.

2. Confesar Positivamente

Las confesiones negativas caracterizan la influencia demoníaca: Las confesiones positivas son *expresión de la fe*. Confiese lo que la palabra de Dios dice. Cualquier otra confesión abrirá la puerta al enemigo.

> "Porque de cierto os digo que cualquiera que *dijere* a este monte: Quítate y échate en el mar, y no dudare en su corazón, sino creyere que será hecho lo que dice, lo que *diga* le será hecho" (Marcos 11:23).

3. Permanecer en las Escrituras

Jesús soportó la tentación de Satanás usando las Escrituras. La palabra de Dios es un espejo para el alma

(Santiago 1:22-25); es una lámpara que nos guía los pies (Salmo 119:105); es un agente de limpieza (Efesios 5: 25-26); es una espada de dos filos que descubre las intenciones del corazón (Hebreos 4:12); y es alimento para el espíritu (1 Pedro 2:2; Mateo 4:4). Nadie puede mantener su liberación si no considera la palabra de Dios como un factor primario en su vida.

> "Bienaventurado el varón que no anduvo en consejo de malos, ni estuvo en camino de pecadores, ni en silla de escarnecedores se ha sentado; sino que en la ley del Señor está su delicia, y en su ley medita de día y de noche. Será como árbol plantado junto a corrientes de aguas, que da su fruto en su tiempo, y su hoja no cae; y todo lo que hace, prosperará" (Salmo 1:1-3).

4. Crucificar la Carne

Tome diariamente su cruz y siga al Señor Jesucristo (Lucas 9:23). Rompa con todos los viejos patrones que le han mantenido a usted ligado a los espíritus del mal. Si los apetitos de la carne, los deseos, y la concupiscencia, no se llevan a la cruz, se deja una vía abierta para que los demonios regresen (Gálatas 5:19-21, 24).

5. Desarrollar una Vida de Continua Alabanza y de Constante Oración

La alabanza silencia al enemigo. La alabanza no es ·una actitud del corazón. La alabanza es una *expresión* hacia Dios de gratitud, de adoración y de gozo por medio del habla, el canto, la danza, el aplaudir, el tocar instrumentos musicales, etc. Ore en el Espíritu (en lenguas) y también en el entendimiento (1 Corintios 14:14), "ore sin cesar" (1 Tesalonicenses 5:17).

6. Mantener una Vida de Compañerismo y de Actividades Espirituales

La oveja que se aparta del rebaño es la que corre más peligros. Encuentre y cumpla su función dentro del cuerpo de Cristo. Anhele los dones espirituales y permita que obren en usted dentro de su iglesia (véase 1 Corintios 12: 7-14). Manténgase bajo la autoridad espiritual de su pastor.

7. Sométase Totalmente a Cristo

Decida que todo pensamiento, toda palabra y toda acción reflejen la misma naturaleza del Señor Jesús. Permanezca en Cristo para que el fruto del Espíritu pueda producirse en abundancia. Los espíritus demoníacos son enemigos del fruto del Espíritu. La fe y la confianza en Dios son las mayores armas contra las mentiras del diablo. Recuerde lo que dice Efesios 6:16.

NOTA: Seguir estos siete pasos asegurará que su "casa" (su vida) esté llena después de haber sido limpiada. Ningún demonio podrá regresar y mucho menos traer otros con él. Si un espíritu le engaña y vuelve a entrar, asegúrese de su expulsión lo más rápido que pueda, ya sea que usted mismo lo haga o con la ayuda de otros creyentes. Si posteriormente aparecen en su vida otras áreas de actividad demoníaca, busque liberación. Jesús ha hecho posible una liberación completa. Camine diariamente en liberación. ¡No se contente con menos!

> "Y si siendo enemigos se nos reconcilió con Dios por la muerte de su Hijo, gloriosas serán sus bendiciones ahora que somos amigos y él vive en nosotros (Romanos 5:10) (La Biblia al Día).

CAPITULO 9

Llenando la Casa

"⁴³Cuando el espíritu inmundo sale del hombre, anda por lugares secos, buscando reposo, y no halla. ⁴⁴Entonces dice: Volveré a mi casa de donde salí; y cuando llega, la halla desocupada, barrida y adornada. ⁴⁵Entonces va, y toma consigo otros siete espíritus peores que él, y entrados, moran allí; y el postrer estado de aquel hombre viene a ser peor que el primero. Así también acontecerá a esta mala generación" (Mateo 12:43-45).

Aquí se nos dice en lenguaje simple que es posible que un demonio expulsado regrese, y no solamente eso, sino que inclusive traiga otros espíritus más malvados con él. La implicación es clara. Si la casa se deja vacía, barrida y adornada, es una invitación abierta para perturbaciones peores. La casa se debe llenar.

El mismo relato se encuentra en Lucas 11:24-26. Examinemos los contextos de estos dos pasajes. En la porción de Lucas el Señor Jesús expulsó *un espíritu de mudez* de un hombre y éste pudo hablar. Algunos expresaron la creencia que Jesús hacía esto por el poder de Beelzebú, el príncipe de los demonios. Jesús explicó que si fuera cierto, entonces el reino de Satanás estaba dividido contra sí mismo y por tanto no podría permanecer y luego agregó:

"Mas si por el dedo de Dios echo yo fuera los demonios, ciertamente el reino de Dios ha llegado a vosotros" (Lucas 11:20).

Jesús estaba hablando ante una audiencia judía que había desarrollado una religión de negaciones. Habían sacado muchas cosas de sus vidas, pero en lugar de ellas, ¿qué habían puesto? Ahora, rechazaban lo positivo que

Jesús les ofrecía. Para enfatizar este punto el Señor usó
una ilustración que comprenderían. Si no colocaban en sus
vidas algo positivo después de eliminar tantas cosas negativas, serían como el hombre liberado de demonios que no
había puesto nada positivo en su vida. Terminarían en una
condición peor que la anterior.

El contexto en el relato de Mateo es aún más claro. A
Jesús lo acababan de condenar por haber arrancado espigas
en el día de reposo. También había curado a un hombre
con una mano seca en sábado. Nuevamente los fariseos le
acusaron de expulsar demonios por el poder de Beelzebú.
Jesús demostró que esas palabras evidenciaban un corazón
perverso. Ya habían visto lo suficiente como para cambiar
sus vidas, pero no habían cambiado. A menos que cambia-
sen, irían de mal en peor, como el hombre liberado de demonios que no llenó su casa con algo de Dios.

Jesús dice que llega un tiempo cuando sería mejor
poner algo positivo en nuestras vidas. Debe haber siempre
un equilibrio entre los factores positivos y los negativos.
Después que la carne es crucificada y los demonios expulsados, debemos tener dentro de nosotros a Jesús y permitirle gobernar nuestras vidas. De hecho, el motivo para
obtener la liberación de los demonios es poder tener más
de Jesús.

Entonces, ¿con qué llenaremos la casa? ¡Con Jesucristo! Ser llenos de Jesús es ser llenos de **pureza** y de
poder. Estas dos palabras resumen su persona. Como veremos, nuestra pureza viene por permanecer en Cristo y
como resultado tenemos **el fruto del Espíritu**. Nuestro
poder viene por medio del bautismo en el Espíritu Santo y
como resultado de los **dones del Espíritu**.

Es una necesidad imperiosa entender que llenar la
casa no resulta de una pequeña plegaria de rutina dicha al
final de una sesión de liberación. Me he sentido mal, más
de una vez, cuando he oído ministros decir al terminar una
liberación, "y ahora Señor, llena todos los lugares vacíos".
He visto que muchas personas pierden su liberación porque
no sabían cómo llenar sus casas, sus hogares, sus espíritus
o con qué llenarlos.

Por cada demonio que se expulsa, el fruto del Espíritu y los dones del Espíritu Santo deben ocupar su lugar.

Esta es responsabilidad expresa de la persona liberada. El ministro que hace la liberación debe enfatizar el hecho que cada persona es responsable de llenar su propia casa.

Llenar la Casa con el Poder del Espíritu

Una de las últimas cosas que Jesús dijo antes de ascender a los cielos fue:

"Seréis bautizados con el Espíritu Santo dentro de no muchos días" (Hechos 1:5).

Encontramos el cumplimiento de esta promesa en el segundo capítulo del libro de los Hechos, en el relato de Pentecostés:

"Y fueron todos llenos del Espíritu Santo, y comenzaron a hablar en otras lenguas, según el Espíritu les daba que hablasen" (Hechos 2:4).

¿Cuál fue el propósito de este bautismo en el Espíritu Santo? Jesús explicó que sería para suministrar poder (véase Hechos 1:8). Después del bautismo que llegó en Pentecostés, ¿cómo se manifestó ese poder? Este es un tema muy interesante que no podemos estudiar completamente aquí, pero se puede observar que el poder del Espíritu Santo al obrar por medio de los discípulos se manifestó a través de los nueve dones sobrenaturales del Espíritu. Estos dones aparecen en 1 Corintios 12:7-11. Son: (1) La palabra de sabiduría, (2) La palabra de conocimiento, (3) La fe, (4) Los dones de sanidad, (5) El don de hacer milagros, (6) El don de profecía, (7) El discernimiento de espíritus, (8) Diversos géneros de lenguas y (9) La interpretación de lenguas.

Todo el libro de los Hechos muestra cómo el poder del Espíritu Santo obró a través de esos dones del Espíritu. Por medio de Pedro y de Juan ministró un don de sanidad al cojo (capítulo 3); las palabras de sabiduría y de conocimiento vinieron a Ananías para ministrar a Pablo (capítulo 9); Pablo, por medio del discernimiento de espíritus, trató con el demonio de la adivinación en una muchacha que obstaculizaba su ministerio (capítulo 16); Pedro habló la palabra de fe a Ananías y a Safira y éstos cayeron muertos (capítulo 5); por medio de Pedro tuvo lugar un milagro de resurrección que regresó a Dorcas a la vida (capítulo 9); mientras Pedro predicaba en el hogar de Cornelio, hubo lenguas e interpretación (capítulo 10); y por medio de un discípulo que se llamaba Agabo la iglesia fue bendecida con profecías (capítulo 11).

Los demonios desprecian estos dones del Espíritu Santo y hacen que los hombres los desprecien. ¿Por qué? Porque la operación de estos dones sobrenaturales de poder contrarresta el trabajo de los demonios. Su presencia y asechanzas son descubiertas por el discernimiento de espíritus y por la palabra de conocimiento. Su mal queda sin efecto por la palabra de sabiduría, de fe, por los dones de sanidades y de milagros. Sus planes para producir daño son minimizados por una palabra oportuna de profecía, o por el don de lenguas con interpretación. No es de extrañar, por tanto, que los demonios se opongan tan fuertemente a estos dones.

Los nueve dones también se dieron a la iglesia para su edificación. Satanás es el enemigo de la iglesia y se levanta contra todo aquello que está diseñado para edificar el cuerpo de Cristo. Hace fuertes arremetidas contra los dones, especialmente contra el don de lenguas, que tiene un propósito especial en la edificación del creyente individual (véase 1 Corintios 14:4).

Si la persona que experimenta la liberación no ha sido bautizada en el Espíritu Santo, se le debe animar a recibir este bautismo y a desear los dones espirituales. Hemos visto a muchas personas recibir el bautismo en el Espíritu Santo como clímax de una liberación. El poder del Espíritu Santo es importante para retener la liberación.

A quienes ya han recibido el bautismo en el Espíritu Santo se les debe estimular a "procurar los dones mejores" (1 Corintios 12:31), y el mejor don es el que ministre a las necesidades de otros en determinadas situaciones. Es bastante común que los obstáculos a los dones desaparezcan con la liberación. Hay demonios especialistas que intentan bloquear la operación de los dones espirituales. Después de la liberación la casa se debe llenar con el poder del Espíritu Santo.

Llenar la Casa con el Fruto del Espíritu

El fruto del Espíritu se enumera en Gálatas 5:22-23. Es: (1) Amor, (2) Gozo, (3) Paz, (4) Paciencia, (5) Benignidad, (6) Bondad, (7) Fe, (8) Mansedumbre y (9) Templanza. Este fruto con sus nueve componentes representa la misma naturaleza del Señor Jesucristo. Cuando el fruto del Espíritu Santo se produce en la vida de un creyente, se identifica con el carácter de Jesús.

Los demonios son exactamente lo opuesto al carácter de Jesús. Entran en una persona con el fin de proyectar su propia naturaleza malvada a través de esa persona. Así, lo que se busca con la liberación es expulsar los demonios y su influencia para reemplazarlos por Jesús y el fruto del Espíritu. A menos que esto se entienda y se convierta en una meta definida, todos los beneficios que se ganan por medio de la liberación eventualmente se perderán.

De esta manera, para obtener un beneficio permanente de la liberación, la "casa" se debe llenar y mantenerse llena. De otro modo, los espíritus malos regresarán y pueden volver con mayor fuerza que antes.

Antes de continuar, necesitamos entender claramente cómo se produce el fruto del Espíritu. La respuesta se encuentra en la parábola de la vid y los pámpanos.

"Permaneced en mí, y yo en vosotros. Como el pámpano no puede llevar fruto por sí mismo, si no permanece en la vid, así tampoco vosotros, si no permanecéis en mí" (Juan 15:4).

NOTA: El fruto no se produce por acción independiente o por el esfuerzo personal. ¡Sólo viene como resultado de permanecer en la vid! De manera que la palabra clave es PERMANECER. Permanecer en la vid, significa estar conectado con Jesús de tal manera que la vida de Cristo fluya en el pámpano, y se produzca el fruto. ¿Cómo se hace para permanecer? La respuesta se encuentra en el versículo 10:

"Si guardareis mis mandamientos, permaneceréis en mi amor; así como yo he guardado los mandamientos de mi Padre, y permanezco en su amor".

Permanecer es sinónimo de guardar los mandamientos

del Señor ¿y qué tendremos por obedecer y permanecer? Sigamos leyendo: *"mi amor . . . mi gozo"*, lo primero del fruto del Espíritu Santo.

Cuando obedecemos tenemos compañerismo con el Señor y obtenemos su amor, su gozo y su paz. Cuando desobedecemos se rompe el compañerismo con Dios y Satanás ha ganado una vía de penetración. Aprendamos del ejemplo de Jesús. ¿De qué estaba hablando el Señor en el contexto, justamente antes de la parábola de la vid y los pámpanos?

> "No hablaré ya mucho con vosotros; porque viene el príncipe de este mundo *y él nada tiene en mí.* Mas para que el mundo conozca que amo al Padre, *y como el Padre me mandó, así hago"* (Juan 14:30-31).

Aquí Jesús explicó que el demonio no tenía nada en El, porque era completamente obediente al Padre. El nunca dijo una palabra ni hizo una acción fuera de la voluntad del Padre. De ahí que Jesús pudiera declarar:

> "Si guardareis mis mandamientos, permaneceréis en mi amor; así como yo he guardado los mandamientos de mi Padre, y permanezco en su amor" (Juan 15:10).

El Fruto Llamado Amor

El señor A. tuvo una crisis nerviosa hacía unos doce años. Había permanecido incapacitado emocionalmente, inclusive después de un tratamiento muy intenso y de cuidados hospitalarios. Finalmente supo del ministerio de liberación y se le expulsaron los demonios responsables de su estado emocional. También recibió sanidad en el cerebro, de manera que las cosas que le bloqueaban la memoria por los tratamientos de choques eléctricos, comenzaron a volver. Con el regreso de la memoria recordó el nombre de un enfermero que en el hospital psiquiátrico le había maltratado con mucha crueldad. Entonces lleno de gran amargura, con odio contra ese hombre, comenzó a acariciar pensamientos de buscarlo después de todos esos años y darle muerte.

En este punto, el señor A. volvió para continuar su liberación. Se le explicó que debía arrepentirse de su odio y perdonar a esa persona con un acto de su voluntad. También se le mostró que, de acuerdo con Mateo 18:32-35, no podía ser liberado de los verdugos atormentadores sino hasta cuando él, con toda su voluntad, hubiese *querido* perdonar a aquel hombre. Pero el señor A. no quería responder a mi petición. Sin embargo, por lo menos durante cinco minutos se sentó en silencio mientras decidía si mantener su odio o si satisfacer los requisitos de Dios para la liberación. Esto le tomó todo el esfuerzo de que era capaz, pero finalmente dijo: "Con la ayuda de Jesús, perdono a ese hombre". Por medio de ese acto de su voluntad, abrió el camino para la liberación.

> "Porque si perdonáis a los hombres sus ofensas, os perdonará también a vosotros vuestro Padre celestial; mas si no perdonáis a los hombres sus ofensas, tampoco vuestro Padre os perdonará vuestras ofensas" (Mateo 6:14-15).

Hemos conocido a otras personas que han obtenido mucho por medio de la liberación, como este hombre. Cuando se le expulsaron los demonios de *amargura*, *odio*, *resentimiento*, *ira*, *violencia*, *asesinato*, él inmediatamente los reemplazó con el amor de Jesús, el amor que perdona al enemigo. Inmediatamente la vida espiritual de este hombre comenzó a florecer. Los ríos de agua viva comenzaron a fluir de él, y empezó a ministrar la verdad y la vida a quienes estaban cerca de él. Su alma rebosó con la paz y con el gozo del Señor. Había obedecido la orden de Dios de perdonar a su enemigo y recibió el fruto de esa obediencia. El amor ocupó el lugar del odio.

El Fruto Llamado Gozo

J.P. tenía muchos problemas para ser un niño de cinco años. Sus padres habían llegado hasta el punto de la separación y del divorcio. Habían tenido mucha tensión y muchos problemas en el hogar desde el mismo instante de su nacimiento. La mamá nos contó que J.P. tenía muchos temores y constantemente se apegaba a ella buscando seguridad. Era obvio que era un niño muy intranquilo y muy nervioso. En resumen, era un niño bastante infeliz. Pero la madre le había traído al ministerio de liberación. Mientras ministrábamos a su hermano y a su hermana mayores, caminaba a nuestro alrededor sobre sus manos y rodillas, como si quisiera averiguar cuándo iba a ser su turno. A su manera infantil parecía sentir la importancia de lo que tendría lugar. Estaba serio e impaciente.

Cuando nos dirigimos a los primeros demonios en J.P., los espíritus del mal presionaron sus labios juntándolos en desafío, un gesto que sin ninguna duda significaba "No pretendemos salir". Pero en el nombre de Jesús se vieron obligados a ceder. Salieron por la boca con mucha espuma y saliva. La batalla no fue difícil, pero duró más o menos treinta minutos. Entonces J.P., sonriendo mucho, anunció: "Tengo que encontrar un espejo. Me siento tan bueno que debo parecer diferente". ¡Y así era! Su cara estaba radiante, y con los demonios afuera, ahora se podía ver el gozo.

Hay muchas personas, viejas y jóvenes como J.P. que son tristes. La vida se les ha convertido en una carga. No hay victoria ni esperanza de victoria. Cuán prometedoras son, para quienes no tienen gozo, las palabras de Isaías que describen el ministerio de Cristo y su iglesia:

> "[1] El Espíritu de Jehová el Señor está sobre mí, porque me ungió Jehová; me ha enviado a predicar buenas nuevas a los abatidos, a vendar a los quebrantados de corazón, a publicar libertad a los cautivos, y a los presos apertura de la cárcel; [2] a proclamar el año de la buena voluntad de Jehová y el día de venganza del Dios nuestro; a consolar a todos los enlutados; [3] a ordenar que a los afligidos de Sion se les dé gloria en lugar de ceniza, óleo de gozo en lugar de luto, manto de alegría en lugar del espíritu angustiado; y serán llamados árboles de justicia, plantío de Jehová, para gloria suya" (Isaías 61:1-3).

El Fruto Llamado Paz

La señora B. fue liberada de un espíritu de *tormento*. Ella le había abierto la puerta por un gran temor. La palabra dice que el temor lleva en sí castigo, tormento (1 Juan 4:18). Ella describía cómo, en ciertos momentos, una agitación llegaba y la dominaba completamente. No podía actuar ni pensar en su manera habitual, sobria y estable. Cuando se encontraba en uno de esos estados de agitación, decía a menudo: "¿. . . Por qué estoy obrando de esta forma? Esa no soy yo". Cuando disminuía la presión de las circunstancias, que el espíritu de tormenta había activado, comenzó a ver que un espíritu estaba creando crisis en su mente que no existían en la realidad.

Cada vez, después que el espíritu se había manifestado, se sentía mal, agitada, con un ardor en su interior, y llena de condenación. La palabra dice:

"Si es posible, en cuanto dependa de vosotros, estad en paz con todos los hombres" (Romanos 12:18).

Este espíritu de tormento y de castigo hacía que la paz se perdiera, no solamente en ella, sino también en su familia.

Después de expulsar este espíritu y varios de sus acompañantes, vino a ella una gran paz. Al día siguiente continuaba hablando de la paz de su interior. Sin embargo, el espíritu se mantuvo haciendo intentos para crear crisis de temor en su mente que la abrieran para retornar. Dos veces tuvo éxito, consiguió regresar y fue necesario echarlo fuera de nuevo. Pronto ella aprendió a conocer los trucos de los demonios y cerró la puerta por medio de la fe y la confianza en Dios. Ahora tiene una libertad total. Esto la ha liberado y la ha constituido en un canal para que el fruto de paz del Espíritu fluya a través de ella hacia otras personas.

CAPITULO 10

Manifestaciones Demoníacas

Cuando se confronta a los demonios y se les presiona por medio de la batalla espiritual, a veces demuestran sus naturalezas particulares a través de la persona en una gran diversidad de formas. Estos espíritus del mal son criaturas de la oscuridad. No pueden soportar que se les exponga a la luz. Cuando su presencia y sus tácticas quedan al descubierto, se excitan y entran en frenesí. Como las manifestaciones que pueden resultar parecen ser casi interminables, tendremos que limitarnos a unos pocos ejemplos.

Satánas y sus demonios son identificados con serpientes:

"He aquí os doy potestad de hollar serpientes y escorpiones" (Lucas 10:19).

"Y fue lanzado fuera el gran dragón, la serpiente antigua, que se llama diablo y Satánas, el cual engaña al mundo entero" (Apocalipsis 12:9).

Por tanto, no es de sorprender que a veces se puedan observar manifestaciones serpentinas. Pueden estar [1] en la lengua, y harán que la persona saque la lengua o que la lengua salga y entre con mucha rapidez, como la lengua de las serpientes. Inclusive, [2] los ojos pueden tomar las características de los ojos de las serpientes. La mayoría de las veces la persona que está siendo liberada mantendrá sus ojos cerrados. Los demonios parecen saber que los ojos de una persona revelan su presencia en una forma mucho más fácilmente observable que en cualquiera otra.

Otra manifestación de la serpiente puede hacerse a través de [3] la nariz. La persona se ve obligada a expulsar el aire y a soplarlo por las narices y a hacer un ruido como de silbido. En algunas ocasiones también he visto que la persona cae al piso por el poder de los espíritus que están en su interior, y su cuerpo comienza a arrastrarse como el de una serpiente.

Otras manifestaciones, hasta cierto punto comunes, aparecen en las manos. Las manos se pueden sentir como entumecidas, o con hormigueos. A veces los dedos se ponen extendidos y rígidos. Los demonios que se manifiestan de esta forma, por medio de las manos, son usualmente espíritus de *concupiscencia, lujuria, suicidio o asesinato*. Otros tipos de espíritus malignos, especialmente los que se asocian con el uso equivocado o indebido de las manos, también se pueden manifestar de estas maneras. Con frecuencia es útil que la persona agite las manos vigorosamente (aplaudir), a fin de desalojar los espíritus.

Los espíritus de *artritis* comúnmente se manifiestan en las manos. Las manos entonces se pondrán muy rígidas y los dedos se engarrotarán. Esto puede suceder inclusive en las manos de personas jóvenes o adolescentes que todavía no tienen indicaciones visibles de artritis, pero en quienes el demonio de la artritis ya está trabajando con base en un plan a largo plazo. Cuando se desafía al espíritu de artritis, las manos pueden tomar la apariencia de las de una persona que haya tenido artritis durante años y que está impedida por esa enfermedad. El demonio también se puede manifestar por dolor y contorsiones del cuerpo. El ministerio de liberación hace abortar muchos de tales achaques cuando el discernimiento de espíritus señala enfermedades y dolencias que aún no se han hecho evidentes.

Una manifestación terrible es la del *espíritu de muerte*. He visto el espíritu de muerte en casos donde las personas han estado a punto de morir por enfermedades graves o por operaciones muy serias o cuando ha habido intentos de suicidio. Un hombre que tenía el espíritu de muerte una vez fue declarado oficialmente muerto por ahogamiento, pero volvió a la vida gracias a la atención oportuna de un médico. Cuando el espíritu de muerte se manifiesta, al abrir los párpados, los globos oculares ruedan hacia atrás, dentro del cráneo. La piel de la persona toma la palidez cérea de la muerte.

Una joven de aproximadamente 25 años vino para recibir liberación. Era una persona muy suave y de naturale-

za pasiva. Se habían expulsado ya varios demonios de ella
y estábamos sentados tranquilamente esperando a ver cómo dirigiría el Espíritu Santo. Cuando el siguiente demonio salió a la superficie, hubo un cambio dramático y re-
pentino en esta mujer. No hay palabras ni ninguna forma
de describir la manifestación que siguió, sobre todo a través de sus ojos. Sin volver la cabeza, los ojos se movían para clavar la mirada fijamente a cada persona en la habitación. Mi esposa y yo estabamos sentados en frente de ella.
Otros tres miembros de nuestro equipo de liberación estaban presentes junto con el pastor de la mujer y su esposa.
Yo había visto muchas manifestaciones demoníacas pero
ésta fue distinta. Le daba a uno la impresión de estar frente
a un animal feroz, a punto de ser devorado por él. Esta manifestación fue seguida inmediatamente por la presencia
del espíritu de muerte. Afortunadamente yo tenía ya experiencia en sus manifestaciones desde tiempo atrás, y sabía
con exactitud qué hacer. Las otras personas en la habitación no lo habían visto antes y con seguridad pensaron que
la mujer de veras había muerto. EL demonio salió y la joven quedó completamente bien.

Los olores son otra faceta de las manifestaciones demoníacas. Recuerdo una vez cuando estábamos haciendo
una liberación en un gran personaje y la casa se llenó con
un olor sumamente desagradable, como cuando se cocina
repollo, que es un olor bastante molesto. Inclusive, alguien
fue a la cocina para ver si algo estaba en la estufa.

En otra oportunidad estaba expulsando de una mujer un *demonio de cáncer*. Cuando el demonio salió se
acompañó de un olor muy peculiar con el cual yo estaba
familiarizado. Era el mismo olor sui generis que uno encuentra en un hospital de cancerosos. Reconocí este olor
pues cuando fui pastor en Houston, Texas, con frecuencia
visitaba pacientes en un gran hospital de cáncer.

Los demonios pueden gritar con voces muy potentes
(véase Mateo 8:29; Marcos 1:23; Lucas 4:41; Hechos 8:7).
Estábamos haciendo una liberación cuando una joven de
17 años pasó adelante. Ella informó que había participado
en brujería. Yo estaba sentado a cierta distancia, en frente
de ella. Abrí mi Biblia y comencé a leer Deuteronomio 18:
9-15, donde declara que la hechicería y prácticas similares

son abominaciones para el Señor. Cuando iba leyendo el versículo 15, donde dice que "Dios levantará un profeta, Jesús, y a él oiréis" salió de la joven un grito demoníaco penetrante. Mire rápidamente y vi sus manos como garras que se dirigían a mi Biblia y antes que yo pudiese reaccionar, sus largas uñas rompieron la página exactamente en el mismo versículo que estaba leyendo. Comenzamos a ordenar a los *demonios de brujería* y a los otros espíritus relacionados que salieran en el nombre de Jesús y pronto ella quedó libre de toda opresión.

El *espíritu de orgullo* se puede manifestar en diversas formas. Puede obligar a la persona a sentarse o a permanecer muy erguida y a cruzar los brazos sobre el pecho. Puede inclusive hacerle echar la cabeza hacia atrás, con la nariz muy alta en el aire. Un joven ministro me dijo que él hablaba demasiado y no podía evitar estarse metiendo en las conversaciones de los demás. No podía disciplinarse para dejar que los otros hablaran. Sentía que todo lo que él tenía para decir era mucho más importante que cualquier contribución que los demás hicieran en una discusión o en una conversación. Se le ordenó a este espíritu que se manifestara con nombre propio, y se identificó a sí mismo como un *espíritu de importancia*. El joven estaba sentado en una silla plegable de acero. El espíritu le obligo a levantar su nariz en el aire, a echar su silla hacia atrás, y fue necesario que yo sostuviese al hombre para que no se cayera. El espíritu de orgullo o de importancia, hará que una persona "tenga más alto concepto de sí que el que debe tener".

Los espíritus del mal a veces revelan su presencia y su naturaleza por medio de la pantomima. En el curso de la entrevista a un joven, antes de la liberación propiamente dicha, se descubrió que había estado obsesionado con el baile y que prefería bailar a comer. Cuando se llamó al *demonio de la danza mundana*, el hombre comenzó a hacer una pantomima rítmica. Su cuerpo principió a agitarse rítmicamente, sus manos se movían hacia adelante y hacia atrás en un movimiento de aplauso, y su boca, se abría y se cerraba como si estuviera cantando, pero ningún sonido salía de sus labios. El demonio entonces habló y dijo: "estoy cantando' 'Hay poder en la sangre'". Luego el hombre recogió una toalla húmeda que se le había dado para enjugar

su rostro (los demonios previos habían estado saliendo con
vómito), y comenzó a girar y a enrollar la toalla alrededor
y alrededor como en una cadencia. Finalmente dejó ir la
toalla que golpeó el techo y cayó al piso, con lo cual el espíritu rio en una forma diabólica . . .

En otras ocasiones hemos visto *espíritus de danza* y
de ritmo que se manifiestan a sí mismos por medio del movimiento del cuerpo, especialmente con el meneo de las ca-
deras. Una joven cuyo cuerpo vibraba con las manifestaciones del espíritu de ritmo, poco después reveló que había
sido bailarina profesional y que trabajaba a veces como una
danzarina de "go-go". Se demostró que este espíritu era el
espíritu gobernante dentro de ella. El diablo tiene su falsi-
ficación y su perversión para todo lo que es bueno y recto.

Una manifestación muy interesante se produjo una
vez cuando ministramos a una madre que vino con su hijo
de doce años. El hijo tenía una mano y un brazo secos y
ella nos contó que esto había resultado de una lesión cere-
bral en el momento de nacer. La muñeca del muchacho estaba torcida y su mano inútil y seca. La madre tenía un *espíritu de tormento* que la culpaba continuamente por la
condición del hijo. No la dejaba descansar ni un instante y
hacía que su mente se mantuviera concentrada en la condición del hijo. Cuando se le ordenó a ese espíritu atormentador que la dejara libre y que saliera de ella, obligó al
brazo y a la mano de la mamá a tomar la apariencia exacta
de la mano y del brazo del hijo.

El dolor es una manifestación muy común. Muchas,
muchas veces cuando las personas hacen citas previas para
ser ministradas, informan que han tenido dolores de cabeza
sumamente intensos, aunque normalmente no sufren de
ese tipo de molestias. Durante la ministración los demonios
a menudo provocarán dolor de cabeza o dolores severos en
muchas partes del cuerpo. Los *espíritus de nerviosismo y
de tensión* pueden hacer que haya dolor en la espalda o en
la nuca. Habitualmente el ministro que hace la liberación
puede imponer las manos en el área del dolor y ordenar al
espíritu que salga, con lo cual el demonio es expulsado y el
dolor se aliviará instantáneamente.

Otras manifestaciones que se pueden observar durante
la liberación incluyen calambres, dolores y hormigueos en

las piernas o en los brazos, náuseas o llanto y risa. La risa a menudo corresponde a un *espíritu burlón* que procura empañar el ministerio. Un novato podría pensar que a la persona que recibe la ministración le hace falta seriedad, pero la risa se separa completamente de los sentimientos propios de la persona.

Puedo calcular que los demonios hablan a través de una de cada doce personas a las que ministramos. El promedio sería más alto si los hubiésemos alentado a hablar. Ellos no muestran mucha variedad en lo que dicen. Hablan desafiantemente y dicen que no pretenden salir. Pueden alegar que la persona les quiere allí y amenazar con volver si son expulsados. A veces ruegan que no se les eche buscando despertar la simpatía y la lástima sobre lo que van a hacer y qué les va a asuceder. Es obvio que a los demonios les atormenta oir de la sangre del Señor Jesús y del destino eterno que está justamente delante de ellos. Los demonios que habitan en alguna persona muestran un temor muy definido a sus superiores en los rangos demoníacos. Su charla a veces pretende confundir al ministro que hace la liberación o inclusive intenta llegar al nivel de acusaciones contra él y hacerle dar miedo. Por ejemplo, un demonio puede decir, "Sé algo acerca de ti. ¿Quieres que lo diga aquí delante de todos?" Pero esas son sólo amenazas y acusaciones y nunca irán más allá de esas bravatas. Sobre todo, las conversaciones que hacen los demonios parece que son tácticas dilatorias para demorar la expulsión y quizás también una posible manera de escapar de ser expulsados.

Cuando se echa fuera los espíritus demoníacos, normalmente salen a través de la nariz o a través de la boca, con mucha más frecuencia. Los espíritus están asociados con el aliento. Tanto en hebreo como en griego sólo había una palabra para espíritu o para aliento. La palabra en griego es **pneuma**. El Espíritu Santo también se asocia con el aliento. Después de su resurrección Jesucristo se apareció a sus discípulos, sopló sobre ellos y les dijo:

"Recibid el Espíritu Santo" (Pneuma, Juan 20:22).

Muchos himnarios contienen los himnos "Alienta sobre mí, aliento de Dios" y "Espíritu Santo, alienta sobre mí". Esto nos da la idea que debemos inspirar del Espíritu

Santo y espirar (echar fuera) los espíritus del mal.

Cuando los espíritus malos salen, normalmente esperamos alguna clase de manifestación a través de la boca o de la nariz. Indudablemente la manifestación más común es la tos. La tos puede ser seca, pero algunas veces se acompaña con flema. La flema se puede producir en cantidad excesiva. Un material semejante puede ser algo como el vómito, la espuma o la salivación excesiva, etc. Las personas que reciben la ministración inmediatamente después de una comida, han observado con frecuencia que tienen arcadas y expulsan violentamente grandes cantidades de moco, sin que haya trazas de alimento. Muy pocas veces hemo visto sustancias alimenticias que salen del estómago. Con menor frecuencia hay pequeñas cantidades de sangre que pueden aparecer. No es raro que este material fluya de la persona durante una hora o quizás un poco más.

Otras manifestaciones a través de la boca incluyen los gritos, los clamores, los silbidos, los ronquidos, los bostezos, etc. El aire también se puede soplar a través de la nariz o la persona puede soplar con su nariz constantemente como si tuviera una sinusitis severa y estuviera haciendo el drenaje. Estas manifestaciones pueden variar ampliamente en intensidad, desde algo muy leve hasta algo bastante dramático. El grado de manifestación no es indicativo de la efectividad de la liberación. Las personas que expulsan sus demonios por medio de bostezos o de suspiros quedan tan liberadas como las que tienen manifestaciones mucho más violentas.

CAPITULO 11

Liberación Individual y en Grupo, Privada y Pública

El ministerio de la liberación pertenece a la iglesia. Debería ir junto con la enseñanza, con la predicación, y con la sanidad. En la Gran Comisión, según se registra, leemos:

> "Y Jesús se acercó y les habló diciendo: Toda potestad me es dada en el cielo y en la tierra. Por tanto, id, y haced discípulos a todas las naciones, bautizándolos en el nombre del Padre, y del Hijo, y del Espíritu Santo; enseñándoles que guarden todas las cosas que os he mandado; y he aquí yo estoy con vosotros todos los días, hasta el fin del mundo" (Mateo 28:18-20).

La expulsión de demonios es una parte vital de lo que Jesús ordenó a sus discípulos. En el relato de Marcos 16:17 sobre la comisión, él cita a Jesús cuando dice:

> "Y estas señales seguirán a los que creen: En mi nombre echarán fuera demonios . . ."

Hay que notar las formas en plural: "los que creen" y "echarán". Esto sugiere que es un ministerio de la iglesia y no de los individuos. Hoy el Espíritu Santo está produciendo un ministerio de liberación en la iglesia porque se ha descuidado por mucho tiempo y la iglesia debe tenerlo a fin de estar preparada para la segunda venida del Señor Jesús.

Ministerio Individual

La liberación puede tener lugar como parte de un servicio regular de la iglesia. Jesús no se arredró ni temió echar demonios públicamente en el sitio de adoración y de enseñanza.

"²¹Y entraron en Capernaum; y los días de reposo, entrando en la *sinagoga* enseñaba. . . ²³Pero había en la *sinagoga de ellos* un hombre con espíritu inmundo que, dio voces . . . ²⁵Pero Jesús le reprendió, diciendo: ¡Cállate y sal de él!" (Marcos 1:21, 23, 25).

He estado en cultos como ese. La misma presencia de quienes se mueven en el poder de Dios sobre los espíritus demoníacos hace que los espíritus reaccionen y griten o hablen en alta voz. Dependería entonces del punto de interrupción en el servicio como para saber qué curso seguir. A veces se les dice a los espíritus que se estén quietos hasta cuando el servicio termine. Los demonios estarán así atados hasta cuando llegue el momento de expulsarlos.

Otras veces la situación podría llevar a una liberación inmediata. Esto sucedió una vez en un culto donde yo estaba ministrando. Casi al final de mi mensaje los espíritus demoníacos comenzaron a obrar en un hombre y en su mujer. Eran cristianos pero no sabían del bautismo en el Espíritu Santo. Habían ido al servicio con la intención de divertirse y burlarse de los pentecostales. Pero durante el culto quedaron bajo convicción. El mensaje enfatizaba el poder de la sangre de Jesús. La mujer comenzó a sacudirse violentamente. Cuando quienes le quedaban cerca comenzaron a orar, los espíritus demoníacos también comenzaron a gritar a través de ella. Cuando el marido se movió para ver en qué podía ayudar, los demonios en él también comenzaron a gritar y a sacudirlo. La congregación siguió cantando himnos de alabanza y varios de nosotros ministramos al hombre y a su mujer en el pasillo de la iglesia hasta cuando quedaron libres del ataque demoníaco. Luego se oró por ambos para que recibieran el bautismo en el Espíritu Santo, y en pocos momentos estaban hablando en lenguas como el Espíritu les daba que hablasen. Ambos fueron liberados de los *demonios de alcohol y nicotina* lo mismo que de muchos otros espíritus, y han continuado en su vida llena del Espíritu con gran celo y gran gozo.

Hasta este punto en mi propio ministerio, casi todas las liberaciones han sido con base en una ministración de tipo conferencia privada. Nuestro equipo de liberación va a una iglesia o a una comunidad. Allí se hacen varias reuniones de enseñanza sobre demonología y liberación. Se anima a las personas a que hagan citas para la ministración y se trabaja más o menos como en el consultorio de cualquier médico. También se asigna a cada persona algo así como dos horas. Alentamos mucho la ministración para la familia, con participación de ambos padres y de los hijos de todas las edades. Se dan alrededor de treinta a cuarenta y cinco minutos de conferencia y el resto se dedica al proceso de liberación. Este enfoque hacia el ministerio de la liberación ha demostrado que tiene fuertes puntos en su favor. En muchos casos la conferencia da luz sobre las veces y las maneras como los demonios pudieron entrar en la vida de las personas. Así se puede aprender cómo obran los diferentes demonios. Esta comprensión es una gran ayuda para que se puedan cerrar las puertas a los demonios, después que han sido expulsados, de manera que no puedan volver a entrar en esas vidas. Desde luego, cuando los demonios escuchan la conversación se dan cuenta que se ha descubierto su presencia y que se traen a la luz sus diversas formas de trabajo maligno. Esto sirve para poner en movimiento esos espíritus y en el momento en que usted está listo para ministrar, entonces los demonios usualmente están en la superficie y salen con más rapidez. La ministración de tipo conferencia, tiene la desventaja de consumir mucho tiempo, pero tiene la ventaja de ser más completa que la liberación pública y en grupos. El corazón de Jesús clama por más obreros. En el contexto de Mateo 10 Jesús está comprometido en su ministerio de enseñanza, de predicación, de sanidad, y de *expulsión de demonios:*

> "Y al ver a las multitudes, tuvo compasión de ellas; porque estaban desamparadas y dispersas como ovejas que no tienen pastor. Entonces dijo a sus discípulos: A la verdad la mies es mucha, mas los obreros pocos. *Rogad, pues, al Señor de la mies, que envíe obreros a su mies"* (Mateo 9: 36-38).

Ministración en Grupo

La ministración en grupo implica la expulsión de demonios de más de una persona a la vez. El grupo puede variar en su tamaño desde dos personas hasta una gran multitud. Que esto se puede hacer, lo han demostrado muchas veces las personas que trabajan en el ministerio de liberación. El ministro que hace una liberación ordenará a los demonios salir en el nombre de Jesús. Y los demonios comenzarán a salir. En grupos grandes, de un centenar de personas o más, si no hay suficiente personal de obreros con conocimiento para dar ayuda adecuada a cada individuo, algunos puede que no reciban la ministración que necesitan. En la ministración de grupos hay quienes reciben una liberación muy adecuada, pero otros quizás no la obtienen según su necesidad y muchos seguramente no van a obtener ninguna liberación.

La ministración en grupos puede ser efectiva con los niños. He tenido la experiencia de ministrar a un grupo de niños de edades desde los siete hasta los doce años. Comenzamos a llamar a los espíritus que son comunes en prácticamente todos los niños, p.e. *temor, egoísmo, resentimiento, ira*. Después de cubrir una lista de espíritus comunes, se les ordena salir; luego, se trata en forma más específica con los niños individuales que tienen problemas particulares. Los padres y el pastor de los niños estaban presentes y ayudaban en las ministraciones individuales. Los niños también recibieron el bautismo en el Espíritu Santo y uno pudo orar en lenguas. Respecto a la ministración para los niños mucho se dirá más adelante en un capítulo especial.

Es inconcebible que Jesús ministrase a cada persona individualmente. El estaba acosado por multitudes que querían sanidad y liberación dondequiera que iba. Aunque el Señor y los doce no podían haber ministrado personalmente a cada individuo, sin embargo en el registro de la Biblia queda muy claro que ministró a "todos" los que llegaron a él. En el sermón de Pedro en la casa de Cornelio se lee:

> "Cómo Dios ungió con el Espíritu Santo y con poder a Jesús de Nazaret, y cómo éste anduvo haciendo bienes y sanando a *todos* los oprimidos por el diablo, porque Dios estaba con él" (Hechos 10:38).

¿Ministración Privada o Pública?

A veces sentimos que debemos hacer una decisión entre este par de alternativas. En realidad, ¿es necesario elegir entre la liberación pública o la privada? Es evidente que el Espíritu Santo obra en ambos casos. Permitamos que cada creyente siga la forma que el Señor le muestre.

La ministración privada no sólo es importante, sino esencial en algunos casos. Encontramos que muchos cristianos tienen ciertas páginas oscuras en sus vidas. Hay cosas que nunca se han confesado a nadie. Los demonios medran en lo oculto y en los pecados inconfesos. Traen culpa e indignidad para obstaculizar el crecimiento espiritual y el testimonio del creyente. Casi todas las personas se sienten bastante cómodas al confesar esas cosas en la consejería de liberación. Se les debe aclarar que el único propósito en investigar el pasado es revelar las puertas a través de las cuales los demonios pudieron entrar a fin de que esas puertas se puedan cerrar para siempre.

Algunos individuos, más que otros, necesitan más enseñanza y animarles para ser capaces de retener y mantener su liberación. Algunos captan rápidamente las técnicas de la batalla espiritual mientras otros son más lentos en aprenderlas. Algunos son más vulnerables a los ataques por medio de otras personas en su vida, especialmente en el hogar. El ministro debe percibir la importancia de cada caso y debe hacer lo mejor, con la dirección de Dios, para que la persona a quien se ministra pueda continuar en su liberación hacia la victoria final.

CAPITULO 12

Autoliberación

Con frecuencia se me hace esta pregunta, "¿puede una persona liberarse a sí misma de demonios?" Mi respuesta es: "Sí", y es mi convicción que una persona no puede realmente mantenerse libre de demonios sino hasta cuando está caminando en esta dimensión de la autoliberación.

¿Y cómo es que una persona se puede liberar a sí misma? Como creyente (y esta es nuestra suposición) tiene la misma autoridad del creyente que se mueve en el ministerio de liberación. Tiene la *autoridad del nombre de Jesús.* Y Jesús promete a todos los que creen: "En mi nombre echarán fuera demonios" (Marcos 16:17).

Usualmente una persona sólo necesita aprender cómo practicar la autoliberación. Después que ha tenido una liberación inicial en las manos de un ministro con experiencia, puede comenzar a practicar la autoliberación.

Debemos mantener en la mente que la liberación es un proceso. Sería muy lindo si una persona pudiese sacar todos los demonios que están en su interior y luego olvidarse de ellos por el resto de su vida. Pero, ¿cómo podremos mantenernos completamente libres? Si nunca pecásemos en el pensamiento, con palabras, o con obras, nunca tendríamos necesidad de ninguna liberación. El pecado abre las puertas para que los demonios entren. Esto no quiere decir que cada vez que una persona cometa un pecado entra un demonio. Sin embargo, el pecado es una forma por la cual la puerta se abre y a veces no se necesita que quede abierta mucho tiempo.

El problema más grande que enfrenta la autoliberación es discernir con toda seguridad los espíritus. Casi todos los seres humanos tendemos a confundir las actividades demoníacas en nuestras vidas con las expresiones de nuestra personalidad. No es raro que una persona reaccione al discernimiento de un determinado espíritu con, " ¡oh, pensé únicamente que yo era así!" Hay muchos que quieren seguir el camino de hágalo usted mismo, de manera que nadie conozca los pecados ocultos en su vida. Este no es un buen motivo con el cual se deba comenzar la autoliberación. La Palabra nos enseña que hay un lugar para la confesión; en efecto Santiago 5:16 dice:

> *"Confesaos* vuestras ofensas *unos a otros*, y orad unos por otros, para que seáis. sanados. La oración eficaz del justo puede mucho".

Hay algunos casos donde un fuerte *espíritu de engaño* controla a una persona hasta el punto que no puede ver nada equivocado en sí misma. En tales casos la persona es incapaz de recibir un verdadero discernimiento sobre ella. Me acuerdo de una mujer que llegó con el pretexto de querer una liberación, pero su verdadero motivo pronto salió a la luz. Había venido para propagar una falsa doctrina en la cual estaba involucrada. Entonces me dijo que tenía "el don de abrir su Biblia" para responder las preguntas acerca de sí misma y de otros. Antes de venir ese día, había abierto su Biblia, había colocado el dedo al azar y recibió este mensaje: "Hija, tu fe te ha sanado completamente". Ella había interpretado esto para decir que no tenía ninguna necesidad de liberación. En nuestra conferencia se reveló que había vivido con un adivino durante algún tiempo, en el curso de los años formativos de su vida. La influencia de esta asociación abrió en ella la puerta para un *"espíritu de adivinación"* que obraba por medio de su práctica de abrir la Biblia para obtener alguna respuesta. Hay ocasiones en que un cristiano ha recibido una palabra del Señor en esta forma, pero cuando se depende de esto como la manera principal para escuchar de Dios, en realidad se patina sobre hielo muy delgado.

No es necesario andar pensando en los demonios todo el tiempo. Debemos mantener nuestros ojos fijos en Jesús y en todo lo que es verdadero, todo lo honesto, todo lo justo, todo lo puro, todo lo amable, y todo lo que es de buen nombre. Entonces, cuando algo llega en forma de alguna perturbación que es del maligno, no deberíamos vacilar en reconocerla por lo que es y tratarla en la autoridad con que el Señor nos ha investido. El objetivo para tratar con el mal es quitar todos los obstáculos a nuestro compañerismo espiritual y a nuestro ministerio.

La autoliberación se experimenta en la misma forma como cuando una persona ministra a otra. La única diferencia es que la persona liberada es su propio ministrador. Por tanto, orará, hará su confesión a Dios que no quiere ninguna parte con el mal y desea que el Señor le libere por completo. Luego se dirigirá a los demonios llamándoles por su nombre, uno a uno y después que haya ordenado varias veces que un demonio específico salga en el nombre de Jesús, comenzará a expeler su aliento forzadamente unas pocas veces o iniciará una tos lo más profunda que sea posible.

Como las manifestaciones varían de una persona a otra, no se puede dar ninguna explicación sobre lo que debemos esperar. Como en el caso de otras liberaciones, la manifestación que acompaña la salida de los espíritus demoníacos puede variar mucho. En mi propia experiencia, tan pronto como me dirijo al demonio comienzo a sentir una presión en mi garganta seguida por tos y por la producción de flema. Luego experimento una liberación muy perceptible que algo ha salido. Algunos individuos son capaces de realizar esto con mayor confianza y mayor entusiasmo que otros.

CAPITULO 13

Guerra de Oración
Intercesora

¿Qué podemos hacer en favor de quienes obviamente necesitan liberación pero no quieren recibirla? Con mucha frecuencia se nos hace esta pregunta.

Primero que todo, ¿cuál es la condición espiritual de la persona? ¿Ha nacido de nuevo? ¿Se ha vuelto a descarriar? Debemos recordar que la salvación es liberación. Es la liberación del espíritu del hombre. Antes de la salvación, el hombre está muerto en sus delitos y pecados (Efesios 2:1). ¿En qué sentido está muerto? Sabemos que no es físicamente porque aún respira y se mueve. Sabemos que su alma (personalidad) no ha muerto porque todavía piensa, siente y toma decisiones. Pero su espíritu está muerto. No tiene comprensión espiritual ni ningún interés en las cosas espirituales. El poder vivificador del Espíritu Santo debe resucitar el espíritu del hombre. Necesita nacer de nuevo (Juan 3:3). Esto viene de la gracia de Dios, por medio de la fe (Efesios 2:8). Y la fe viene por el oir y el oir por la Palabra de Dios (Romanos 10:17). Salvación es liberación. El término griego para salvación, *soteria*, quiere decir liberación. Así, la salvación del espíritu del hombre es la primera etapa de la liberación y es *la base para futuras liberaciones*.

Entonces, la prioridad en la liberación es llevar a la persona a una relación con Jesucristo. Si no quiere aceptar a Cristo como su Salvador, quienes llevan la carga del Señor por el bienestar espiritual de esa persona se deben entregar a la oración intercesora y permanecer en la brecha. Deben orar para que desaparezca la ceguera espiritual. El hombre perdido se mantiene ciego por el poder satánico.

"Pero si nuestro evangelio está aún encubierto, entre los

que se pierden está encubierto; en los cuales el dios de este
siglo cegó el entendimiento de los incrédulos, para que no
les resplandezca la luz del evangelio de la gloria de Cristo,
el cual es la imagen de Dios". (2 Corintios 4:3-4).

A medida que a la persona se le presenta el evangelio,
se debe orar para que el mismo Dios que ordenó a la luz
resplandecer sobre las tinieblas, brille en su corazón y que
Jesús el Salvador le sea revelado. Pablo afirma que así se
salvó él. Y así se salva todo hombre, por la soberana gracia
y por la misericordia de Dios.

> "Porque Dios, que mandó que de las tinieblas resplande-
> ciese la luz, es el que resplandeció en nuestros corazones,
> para iluminación del conocimiento de la gloria de Dios en
> la faz de Jesucristo" (2 Corintios 4:6).

Oración Intercesora

La oración de intercesión también se debe hacer en
favor de la persona salva. Todo el que se cierra y se opone
a la provisión del Señor cuando necesita una liberación, se
mantiene esclavizado por el engaño. Toda excusa que se
ofrezca para rechazar la liberación representa una forma de
engaño. Satanás, el engañador, sigue su camino y esa persona es mantenida en una esclavitud inútil.

Jesús nos enseñó a orar unos por otros para que
podamos ser liberados de los lazos del diablo. El nos
enseñó a orar: "Y no nos metas en tentación, mas líbranos
del mal . . ." Literalmente, ". . . libéranos del maligno . . ."
Nótese el pronombre plural "nos". Debemos incluir a otros
en nuestra petición de liberación.

En la poderosa exhortación de Pablo sobre la armadura espiritual del cristiano, enfatiza la importancia de la
batalla de oración intercesora en favor de otros creyentes.
La oración de intercesión es un arma tanto ofensiva como
defensiva contra las asechanzas (estrategias) del diablo.

> "Orando en todo tiempo con toda oración y súplica en el
> Espíritu, y velando en ello con toda perseverancia y súplica
> por todos los santos . . ." (Efesios 6:18).

Batalla Espiritual

A veces el Espíritu Santo nos dirige a entrar en batalla

espiritual directa en favor de quienes no están dispuestos directamente a la liberación. La voluntad de la persona puede estar tan sobredominada por las fuerzas satánicas que es incapaz de responder a la ayuda que se le ofrece. Ninguna cantidad de motivos ni de razones convencerán a esa persona para aceptar la liberación. Su voluntad está en poder del enemigo. Recuérdese:

> ". . . no tenemos lucha contra sangre y carne, sino contra principados, contra potestades, contra los gobernadores de las tinieblas de este siglo, contra huestes espirituales de maldad en las regiones celestes" (Efesios 6:12).

Los poderes que controlan a la persona atada tienen su cuartel general en los lugares celestes donde está entronizado "el príncipe de la potestad del aire". Jesús dio a su iglesia el poder para *atar a Satanás*. Debemos llevar la batalla directamente hasta las puertas del infierno y superar la estrategia que Satanás ha organizado contra el Señor.

> ". . . sobre esta roca edificaré mi iglesia; y las puertas del Hades no prevalecerán contra ella. Y a ti te daré las llaves del reino de los cielos; y todo lo que atares en la tierra será atado en los cielos; y todo lo que desatares en la tierra será desatado en los cielos" (Mateo 16:18-19).

Los verbos atar y desatar son participios pasados, pasivos. En la traducción esto significa que "todo lo que atemos o desatemos en la tierra es todo aquello que está en un estado de haber sido atado o desatado en las regiones celestes". Así, a fin de atar o desatar las cosas en la tierra, primero debemos atarlas o desatarlas en el campo espiritual.

Los padres de una joven de 24 años nos pidieron interceder por ella. Algunos años antes había aceptado a Cristo e inclusive había asistido a un instituto bíblico, pero en este momento se había apartado de Jesús. Vivía con un hombre sin haberse casado y estaba muy comprometida en el espiritismo. Había rechazado todas las ofertas de ayuda hechas por sus padres.

Junto con los padres, Ida Mae y yo atamos los demonios que la controlaban y ordenamos a los espíritus en ella liberarla para que pudiera recibir ministración personal. La muchacha se encontraba a muchos kilómetros de nosotros pero estábamos obrando en el ámbito espiritual donde la distancia no es obstáculo. Pocos días después hubo un giro total. Buscó la ayuda de los padres, dejó su sitio de pecado y manifestó su acuerdo en permanecer en nuestra casa para recibir liberación y consejo. En el curso de unas cuantas semanas se restauró por completo y se convirtió en activa colaboradora nuestra para dejar libres a otros cautivos. Todo esto fue el resultado de una batalla espiritual en las regiones celestes.

Preguntamos a la joven qué había experimentado en el momento preciso en que nosotros y los padres ejercimos nuestra autoridad sobre los demonios que la controlaban. Nos contestó que la mente se le aclaró. Antes de ese instante no veía ninguna salida a sus problemas. Cuando se levantó esa opresión, en forma instantánea cayó en la cuenta que sus padres la amaban y que gustosamente la ayudarían. Entonces tomó la decisión de cooperar con la liberación y el consejo espiritual provistos por el Señor.

¡Atención! Es indispensable advertir que *no podemos ni debemos controlar la voluntad de otra persona.* La batalla espiritual tiene como meta la liberación de su voluntad a fin de que pueda responder directamente al Señor y recibir la ayuda que Dios le tiene. En los casos donde la persona está bajo el dominio del pecado y en la esclavitud de Satanás por las decisiones de su propia libre voluntad, entonces como ha escogido ese camino, atar al diablo no la hará arrepentirse. Cuando los poderes demoníacos son atados por otros, en seguida tiene la capacidad para elegir a Cristo y su reino.

¡Cuidado! Hay algunas cosas necias y peligrosas que se hacen en nombre de la guerra de oración intercesora. Hemos sabido de situaciones donde el intercesor acepta tomar sobre sí los demonios que habitan en otra persona. Esto se hace por creer que los espíritus dentro de quien no quiere la liberación le dejarán, entrarán en el intercesor y luego se podrán expulsar del intercesor "más fácilmente".

Satanás está listo para participar en este juego. En ninguna parte de la palabra de Dios ni siquiera se insinúa que recibamos en nosotros demonios en ningún momento, ni por ningún motivo. Consentir en ser endemoniado abre una entrada a los espíritus del mal sin que Satanás garantice ni cumpla que los demonios saldrán cuando les toque el turno. ¡El archiengañador ganó de nuevo!

Pasamos la mayor parte de un día liberando a alguien de los muchos espíritus que entraron y permanecían en su interior por el tonto compromiso de "aceptar los demonios de otro". Inclusive había aceptado espíritus por tomar el lugar de personas que tenían acceso directo y completo a la liberación. De nuevo hago énfasis en que no hay base bíblica para tal conducta.

El Arma del Amor

Al ayudar a quien rechaza la ministración directa, no olvidemos el arma del amor. En lo más profundo de esa persona yace oculta su necesidad de ser amada. Se puede asegurar que en alguna forma ha sido herida y ha sufrido rechazo.

El ojo del amor distingue entre el yo verdadero de la persona y los demonios en su interior que manifiestan odio, rebeldía, sospecha o cualesquiera otras cosas que la separan de la liberación. Tal amor que discierne nos capacita para acercarnos a ese individuo y amarlo sin que nos golpeen y aparten las tormentas que generan su personalidad inestable. Aun cuando no reconozca o responda al amor que se le ofrece, podemos tener la seguridad que esta técnica de lucha espiritual ejerce una presión insoportable sobre los poderes de las tinieblas.

A los espíritus malignos se les equipara con el aliento y el aire. La palabra griega para espíritu *(pneuma)* significa aliento o aire. Tal como el monóxido de carbono es mortal para nuestra respiración, lo es el amor para los espíritus del mal. No pueden existir ni trabajar cuando están rodeados por amor. Nuestro amor ágape forja un arma que destruye los poderes anti-amor en las vidas de otros. De ahí por qué Jesús nos enseñó a amar a nuestro enemigo. Esto amontona ascuas de fuego sobre su cabeza. Es decir, purifica su mente.

Quienes más necesitan liberación con frecuencia son los más difíciles de amar. Se pueden volver contra nosotros y ofendernos cuando les ofrecemos compasión y amor.

Pero se nos ordena amar inclusive a los que parecen ser menos dignos de amor (véase Mateo 5:43-48). De hecho, exactamente así es la forma como Dios nos liberó. Nos amó cuando todo nuestro ser no merecía el más mínimo amor (véase Romanos 5:8). Su amor derribó las barreras. El amor tiene el poder de echar abajo todo muro. Es una poderosísima arma en las manos de un guerrero espiritual habilidoso.

Oración Bíblica

Debemos ser guiados por el Espíritu Santo en nuestra batalla de oración intercesora. El Espíritu Santo dirigirá al guerrero de oración hacia porciones escriturales específicas. El uso de estos versículos vivificados, llenos de vida espiritual *(zoe)* conducirá la oración. Así se utilizará "la espada del Espíritu que es la palabra de Dios".

Por ejemplo, si se ora por un esposo (hijo) que no sigue al Señor, la esposa (madre) puede ser orientada por Dios a interceder con una oración como las de Pablo y personalizar la plegaria así:

". . . no ceso de orar por mi esposo (hijo), *Humberto,* y de pedir que *Humberto* sea lleno del conocimiento de la voluntad de Dios en toda sabiduría e inteligencia espiritual, para que *Humberto* ande como es digno del Señor, agradándole en todo, llevando fruto en toda buena obra, y creciendo en el conocimiento de Dios; fortalecido con todo poder, conforme a la potencia de su gloria, para toda paciencia y longanimidad, con gozo dando gracias al Padre que lo hizo apto para participar de la herencia de los santos en luz . . ." (Colosenses 1:9-12).

Que el Espíritu Guíe

Hemos dado algunos principios espirituales para la batalla de la oración intercesora, pero cada situación, en su propio sentido, es única. El Espíritu Santo conoce todos los hechos y todas las circunstancias. El diseñará el patrón para que se siga un curso correcto de acciones. La batalla por otros es un combate espiritual. No se puede ganar en la carne. Su estrategia no la puede trazar el ingenio humano. Es indispensable permitir la dirección del Espíritu Santo.

CAPITULO 14

Liberación para los Niños

Como ya se ha visto que los espíritus demoníacos pueden entrar al feto y a los niños, es obvio que para ellos también debe haber liberación. Los demonios se pueden expulsar de la misma manera como se expulsan de los adultos. Asimismo, habrá manifestaciones de los espíritus que salen por la boca y la nariz como en las otras liberaciones.

Ordinariamente a los niños se les libera con bastante facilidad. Como los espíritus no han tenido mucho tiempo para estar dentro de ellos no se hallan tan profundamente implantados como en los mayores. Desde luego hay excepciones a esto, como en el caso de quienes han sido expuestos a ataques de los demonios en circunstancias graves. Las manifestaciones de los demonios pueden ser bastante dramáticas, inclusive en los niños.

Una joven pareja cristiana trajo su niño para que se le ministrara. Era el primer hijo y no había acuerdo sobre cómo educar a este bebé de algunos meses. El padre y la madre habían tenido una discusión muy seria sobre el tema. Mientras exponían sus argumentos el niño comenzó a llorar. Con base en este incidente no había duda que era víctima de espíritus atormentadores. Mi esposa lo levantó en sus brazos y comenzó a ordenar a los espíritus que lo atormentaban salir en el nombre de Jesús. Cuando el primer espíritu salió el bebé se puso rígido y gritó y otros dos demonios salieron de la misma manera. Luego, quedó quieto y relajado y pronto durmió tranquilamente.

Una niñita de cuatro años recibió liberación mientras se sentaba en mi regazo y miraba los cuadros de una Biblia ilustrada para niños; el Espíritu Santo me guió a comentar los cuadros y a ordenar suavemente la identificación de los espíritus y ordenarles salir. A medida que se retaba a cada demonio, salía con tos. Después, a otros dos niños de la misma familia, de seis y siete años, se les ministró también en una manera muy informal. Estos niños un poco mayores causaban gran preocupación a los padres pues eran muy rebeldes e inmanejables. Después de su liberación hubo un cambio tan marcado en su comportamiento que inclusive las personas fuera de la familia comenzaron a comentar la mejoría que observaban.

Casi todos los niños hacia la edad de cinco o seis años pueden recibir una explicación sencilla de lo que se irá a hacer antes que comience la liberación. Necesitan saber que no se les hablará a ellos sino a los espíritus que están dentro de ellos, pues de otra manera se podrían ofender y asustar por las órdenes que se dirigen contra los espíritus del mal. Usualmente los niños cooperan bastante. Como se pueden sentir más seguros con los padres, a menudo es mejor que uno de éstos sostenga al niño durante la ministración. Quien hace la liberación debe discernir las reacciones atribuibles a los espíritus que se están agitando. Estos espíritus pueden hacer que el pequeño se resista a ser sostenido o le obligan a llorar, gritar, o mostrar signos de gran temor. Los demonios pueden usar diversas tácticas para hacer que uno piense que el niño está siendo maltratado, de manera que el ministro y/o el padre simpaticen tanto con él que detengan la liberación y los demonios puedan así permanecer en su interior.

Especialmente cuando se ministra a los niños vale la pena recordar el hecho que no es tono de voz de una orden lo que hace que los demonios salgan sino la autoridad del *nombre* y de la *sangre* de nuestro Señor Jesucristo. Las órdenes se deben dar con tal calma, tal certeza y tal seguridad que el niño escasamente se ha de dar cuenta de lo que acontece.

¿Cómo se mantendrán libres de los demonios los niños y los infantes, una vez liberados, puesto que no son capaces de protegerse a sí mismos? Esta responsabilidad no es del niño sino de los padres o de los guardianes. Creo que se puede encontrar en las Escrituras que cuando el Señor Jesús ministraba a los niños, uno o ambos padres estaban presentes. Es la responsabilidad de los padres ser los guardianes espirituales de sus hijos.

El siguiente relato lo da mi esposa e ilustrará casi todos los factores que se presentan en el trabajo con niños. (Habla la señora Ida Mae Hammond). El ejemplo más gráfico de liberación infantil que he conocido es el de una niñita de seis años a quien llamaremos María. El padre de María nos pidió que le ayudásemos en diversos problemas. En el curso de la entrevista habló de la dificultad que tenía para manejar a su hija. El y su esposa se habían divorciado y él estaba a cargo de María. Dijo que era muy difícil de manejar por ser muy terca, voluntariosa y rebelde. Estaba muy preocupado porque este carácter de la niña lo irritaba tanto que podría castigarla con excesiva severidad. Le dijimos que la niña necesitaba liberación, así como él, e insistimos en que nos la trajera.

María vino directamente de la escuela unos pocos días después. Debo decir que mientras me familiarizaba con ella y le explicaba que quería orar por ella, se tomó casi la mitad de una jarra de jugo de naranja. Era muy hiperactiva y saltaba sobre uno y otro de los bancos de la iglesia, absolutamente incapaz, debido a su inquietud, de sentarse mientras charlábamos.

Le dije, "María, tu papá cuenta que sabes que hay espíritus malos". Sus ojos se abrieron ampliamente y comenzó a decirme en forma muy seria cómo cada noche ella debía asegurarse que todas las puertas·quedaran bien cerradas antes de ir a la cama. Cuando se levantaba en la noche para tomar agua o para ir al baño, tenía mucho miedo y debía constatar otra vez que todas las puertas estuviesen cerradas con toda seguridad. Entonces dije, "Sí, eso es miedo, María. Tienes *espíritus de miedo* en tu interior. Ellos te hacen asustar y quiero orar para que salgan de ti. Han conseguido entrar cuando era muy pequeñita y cuando yo ore saldrán por tu boca y te dejarán". María aceptó mis palabras con la fe simple de un niño.

Le pedí sentarse en el banco, a mi lado, mientras oraba. Lo hizo así pero era tan inquieta que tuve que tomarla en mi regazo para mantenerla cerca de mí. Se sentó en mi falda, dándome la espalda. Comencé a orar una plegaria de fe y a confiar que Jesús iba a liberarla. El Espíritu Santo en una forma muy suave me dijo que mantuviera mi voz muy calmada y mucho más baja que el tono de conversación normal. También que considerara de allí en adelante, que toda palabra de la boca de María, iba a ser un demonio que estaba hablando o que iba a ser inspirada por los demonios.

Luego comencé a dirigirme a los demonios y dije, "Ahora, demonios que habitan en el cuerpo de María, quiero que sepan que ella está cubierta por la sangre de Jesús por medio de la relación de su padre con el Señor. Tal como en los días de Moisés el padre rociaba la sangre en el dintel de la puerta para protección de toda la familia, de la misma manera María está bajo la cobertura de la sangre. Demonios, quiero que sepan que el padre de María escuchó y aceptó la verdad de Dios respecto a ustedes, demonios espirituales. El sabe ahora que ha estado luchando contra ustedes en todo y no contra María".

Me di cuenta que María estaba susurrando algo y entonces me incliné para ver si podía captar lo que decía. Ella murmuraba, "No me gusta lo que dices". Contesté, "Sé que no te gusta, demonio, porque te estoy exponiendo y conozco de ti. María ha sido atormentada por ti desde antes de nacer. Mientras aún estaba en el vientre de su madre algunos de ustedes, demonios, entraron en ella. Pero Dios ha dicho que ustedes ya no pueden habitar más su cuerpo". De nuevo los demonios en María comenzaron a susurrar. Esta vez en palabras muy desafiantes, pronunciadas con los dientes muy apretados protestaban, "No . . . me gusta . . . lo que . . . dices . . .". Tuve cuidado de mantener mi voz muy tranquila a medida que respondía, "Demonios, no les va a ir nada bien a ustedes; les va a ir muy mal porque deben salir de ella hoy. Deben abandonar esta casa". Cuando decía esto los demonios comenzaron a gritar y a replicar de nuevo, "No . . . nos . . . gusta . . . lo . . . que . . . dices; ¡ahora . . . cállate!" Respondí, "No, no me callaré sino más bien voy a continuar hablando hasta cuando salgan del cuerpo de esta niña".

Y seguí hablando a los demonios. "Ahora, uno por uno, ustedes demonios comiencen a manifestarse en el nombre de nuestro Señor Jesucristo". Inmediatamente María comenzó a decir en un murmullo, "Tú no me quieres; si me quisieras, no me agarrarías así". Respondí, "es cierto, *espíritu de rechazo*, tú la cierras a la relación de amor. Tú haces que ella piense que nadie la quiere. Inclu-sive, haces que ella piense que Dios no la ama. Vas a salir de ella, rechazo, en el nombre de Jesús". Uno por uno los demonios comenzaron a manifestar su naturaleza. Apare-cían tan rápidamente que a menudo sólo tenía tiempo de nombrar uno y otro estaba ya en la superficie.

Los demonios hacían que María luchara para escapar de mi regazo aunque yo podía sostenerla más bien blanda-mente en mis brazos. Por último tuve que colocar una de sus piernas entre las mías para sostenerla e impedirle el movimiento corporal. *El demonio del odio* puso la cara de la niña justamente contra la mía, con nuestras narices tocándose y gritó, " ¡Te odio!" Aún hablando muy tran-quilamente me dirigí al demonio, "Sal fuera, demonio del odio". Ella comenzó a gritar, "Quiero un cuchillo, quiero un cuchillo". Yo pregunté, "¿qué quieres hacer con un cuchillo?" El demonio apretó los dientes de María y dijo, "Así te podré matar". "Muy bien, *espíritu de homicidio*", ordené, "fuera en el nombre de Jesús".

Luego María se levantó, echó sus hombros atrás, colo-có sus manos en la cintura y respondió, "Nadie me ordena nunca lo que voy a hacer". Dije, *"demonio de desafío*, fuera de ella en el nombre del Señor".

Hubo un cambio muy distinto en la voz cuando el siguiente demonio habló, "Yo sólo hago lo que quiero hacer". Entonces respondí, *"Demonio de obstinación* fuera en el nombre de Cristo". Luego hubo otro cambio en la voz, "Nunca me harás salir", dijo la nueva voz. *"Demo-nio de terquedad* tienes que salir también", insistí. María entonces levantó sus manos como garras y atacó mi rostro; sus ojos se salían de las órbitas y chillaba. Yo dije, *"Locu-ra*, debes salir de María en el nombre de Jesús". Comenzó a arrancarse el cabello y agitar su cabeza violentamente. Ordené, *"Enfermedad mental y locura*, fuera en el nombre de Cristo". Luego llamé los *espíritus de la esquizofrenia*, "Demonios de la esquizofrenia les estoy llamando. Salgan las dos personalidades opuestas que ustedes han estable-cido en la niña. Uno de ustedes tiene su raíz en el *rechazo* y en la *autocompasión* y el otro tiene la raíz en la *rebeldía* y en la *amargura*. Ninguna de estas personalidades es la verdadera María. Desato y libero a la verdadera María para

que sea lo que Jesús quiere que ella sea". Con esto se aba-
lanzó violentamente hacia mí, arañando mis brazos y buscando morderme. En efecto, me arrancó un pedazo de la
blusa. Cuando se apartó con una porción de mi blusa en
sus dientes, me miró muy extrañada como si esperase que
yo le fuera a dar un bofetón. Pude ver que la verdadera
María estaba sorprendida. Entonces me dirigí a los demonios y les dije, "No demonios, no voy a golpear a María
por haber roto mi blusa porque los puedo separar a ustedes
de ella. Por mucho tiempo a María la han castigado por las
cosas que ustedes han hecho por medio de ella. Ustedes
demonios no han sufrido nada y nadie los ha tocado. Hoy
es distinto; ustedes demonios deben recibir el castigo y
María debe quedar libre". María me miró aliviada durante
un segundo y luego otros demonios comenzaron a manifestarse.

Por último, después de casi veinte o treinta minutos
de este proceso de liberación María comenzó a gritar con
gritos muy largos, unos tras otros, y a decir, "Suelta mi
pierna, suelta mi pierna". El Espíritu Santo me hizo comprender que su carne ahora se estaba agitando y que debía
soltarla y hacer que se sentara a mi lado en el banco. En
consecuencia dije, "María, voy a dejar que te sientes conmigo, ¿está bien?" Llorando muy suavemente contestó:
"No me gusta que me tengas como lo has hecho". Le respondí, "Bueno, lamento haberte sostenido así de firme,
pero los espíritus malos te estaban haciendo luchar contra
mí". Siempre tuve cuidado de echar toda la culpa a los demonios. En su manera infantil parecía darse cuenta y agra-
decer que finalmente ellos estaban llevando la culpa en
lugar de ella.

María se sentó al lado mío durante un momento y
estaba muy tranquila y relajada. Entonces el Espíritu
Santo me dijo que debía ordenar rápidamente a los demonios restantes que salieran. Dije, "Ahora, en el nombre de
Jesús, ordeno a todos los espíritus que permanecen en
María salir fuera. Ahora, salgan . . . en el nombre de
Jesús": Inmediatamente María comenzó a vomitar y antes
que pudiese alcanzar una toalla de papel arrojó una gran
cantidad de baba que llenó sus manitas y las mías. Levantó
la vista, sonrió débilmente y luego pareció entrar en una

paz que la rodeó por completo.

Recuerden, al comienzo de este relato, María había tomado un termo de jugo de naranja cuando llegó para la ministración. Y no hubo ni rastros de ese jugo en lo que arrojó. La baba no salió de su estómago.

Bueno, nos sentamos allí y conversamos durante más o menos quince minutos. María estaba muy tranquila y calmada, en contraste con la naturaleza hiperactiva que había mostrado antes. Su padre estaba asombrado. El había visto esa liberación tan tormentosa con una mezcla de emociones confusas. Como no estaba familiarizado con las manifestaciones de los demonios, no era capaz de distinguir las muchas diferentes voces de los demonios como mi oído ya entrenado lo había hecho. El papá pensó que la verdadera María estaba siendo tratada rudamente y dijo que una vez era todo lo que él podía soportar para no intervenir.

Aunque personalmente no he visto a María desde su liberación, he recibido varios muy buenos informes. Casi todos dicen, "es muy distinta". "No es exactamente la misma". "Ahora la puedo sostener y responde al amor". "Usted no creería que es la misma niña".

Mis ojos se humedecen cuando escribo esto. Es la única liberación que me ha hecho llorar. La batalla fue tan difícil y la paz que llegó después fue tan linda que no puedo contener las lágrimas. ¡Para Dios sea la gloria!

CAPITULO 15

Atar y Desatar

La Escritura declara que Jesús nos dio poder para atar y desatar, con referencia a Satanás y a sus huestes. El contexto para esta promesa se relaciona con la declaración de Pedro, "Tú eres el Cristo, el Hijo del Dios viviente". Ahora, hay que notar la respuesta del Señor Jesús:

> "Y yo también te digo, que tú eres Pedro, y sobre esta roca edificaré mi iglesia; y las puertas del Hades no prevalecerán contra ella. Y a ti te daré las llaves del reino de los cielos; y todo lo que atares en la tierra será atado en los cielos; y todo lo que desatares en la tierra será desatado en los cielos" (Mateo 16:18-19).

La interpretación de este pasaje ha causado muchas controversias. Pero da mucha luz una vez que hemos obtenido un poco de comprensión respecto al poder y la autoridad que el cristiano tiene sobre los demonios. ¿Cuál es el contexto inmediato de la autoridad para atar y desatar? La frase precedente inmediata es: ". . . y las puertas del infierno no prevalecerán contra ella . . .", es decir, contra la iglesia. En otras palabras, a la iglesia se le da completa autoridad sobre las "puertas del infierno". La Biblia ampliada traduce esto, "Las puertas del Hades (los poderes de la región infernal) no la dominarán, ni van a ser más fuertes, en detrimento de la iglesia, o van a poder sostenerse contra ella". Así se pinta a la iglesia como algo militante. Nada la puede detener, ¡ni siquiera las fuerzas de Satanás!

El poder para atar y desatar con respecto a Satanás se describe como "las llaves del reino de los cielos". La palabra para "reino" en griego es **basileia** que significa "gobernar". Es la promesa de la palabra de Dios para quienes heredarán el reino de Dios y gobernarán con Cristo.

"Pues si por la transgresión de uno solo reinó la muerte, mucho más reinarán en vida por uno solo, Jesucristo, los que reciben la abundancia de la gracia y del don de la justicia" (Romanos 5:17).

Alabado sea Dios, nos ha prometido que reinaremos o gobernaremos como reyes en la vida, ¡ahora! ¿Y cómo podríamos hacer esto si no fuésemos capaces de atar el poder del demonio y de desatar a quienes han sido hechos cautivos? Es precisamente esto lo que el Señor ha prometido. Los cristianos necesitan despertar y darse cuenta que se les ha dado mucha más autoridad de la que habían imaginado. Ya no es cosa de oración por la cual clamemos: "Oh, Dios, por favor ven y haz algo contra estos demonios horrorosos que nos han dado un tiempo tan difícil". Más bien es cuestión de levantarnos en el poder en el nombre de Jesús y decir al demonio lo que debe hacer.

Porque, ¿qué significa la frase: ". . . Será atado en los cielos . . . será desatado en los cielos . . ."? El traductor de la Biblia señala que la forma del verbo es el participio pasado pasivo que se refiere a las cosas que se hallan en un estado de haber sido ya prohibidas (o permitidas). Esto nos dice que cualquier cosa que el creyente ate y desate se hace con base en lo que ya se ha hecho "en los cielos", es decir, por el mismo Señor Jesucristo.

Entonces, ¿qué es lo que el Señor ya ha atado y que nos ha dado poder para atar otra vez? Jesucristo nos enseña así:

"Porque ¿cómo puede alguno entrar en la casa del hombre fuerte, y saquear sus bienes, si primero no le ata? Y entonces podrá saquear su casa" (Mateo 12:29).

En el contexto de este pasaje encontramos a Jesús expulsando demonios. Su autoridad para hacerlo ha sido desafiada por las autoridades religiosas. Le acusan de hacerlo por el poder del diablo mismo. Jesús explica que puede controlar los demonios y hacer que le obedezcan porque ya ató al hombre fuerte, Satanás. El hecho que los demonios le obedezcan prueba que Satanás ha sido atado. Satanás ya fue atado "en los cielos" por el poder del cielo. El poder de Satanás está roto y la llave nos ha sido dada a nosotros. También tenemos poder sobre él. ¡Amén!

La palabra griega para atar en el pasaje anterior es *deo* significa amarrar apretadamente, como con cadenas, como cuando se ata a un animal para evitar que se mueva. Esto es maravilloso. Cuando Satanás está atado no puede seguir trabajando. Pierde su capacidad para obrar contra nosotros.

Un ejemplo de cómo obra esto, se mostró a mi esposa hace varios años. Acabábamos justamente de saber de los espíritus demoníacos y cómo tratar con ellos. Ella trabajaba en un banco y una o dos veces por semana cierto cliente iba al banco. Este hombre usaba un lenguaje muy sucio y era extremadamente escandaloso y extrovertido. Cada vez que abría su boca puntualizaba toda frase con vulgaridades y blasfemias, profanando el nombre de Jesús. Como mi esposa nunca se había expuesto a lenguaje tan sucio en toda su vida, estaba horrorizada por eso. Comenzó a orar y le dijo a Dios, "Señor, tú sabes que no me gusta escuchar estas cosas y que no las apruebo". Entonces Dios le habló y le dijo, "Hay un espíritu de blasfemia que hace que ese hombre hable así, y tú tienes poder sobre ese espíritu".

Mi esposa nunca había intentado hacer esto antes, pero actuó en la palabra que el Señor le dio. La siguiente vez que el hombre entró en el banco y empezó a maldecir y a blasfemar como de costumbre, ella se levantó a unos pocos pasos de él y en voz muy baja dijo, "A ti te hablo demonio de blasfemia, Dios me ha mostrado que eres tú. Tengo poder sobre ti para atarte en el nombre del Señor Jesucristo. No puedes maldecir en mi presencia ni tomar el nombre de mi Salvador en vano". Desde luego el demonio sí escuchó esto pero el hombre no oyó nada. El color se fue de su cara y comenzó a atragantarse como si algo se hubiera detenido en su garganta y nunca volvió a decir una sola palabra sucia. De allí en adelante, cada vez que este cliente entraba al banco ella ataba los espíritus en él y no podía maldecir. Los otros empleados notaron el cambio en su comportamiento y hacían comentarios al respecto. No tenían idea de lo que sucedió, pero el poder de Satanás se había atado en la tierra porque ya había sido atado en los cielos.

Satanás tiene su "hombre fuerte" dispuesto sobre

naciones, sobre ciudades, sobre iglesias, sobre hogares y sobre individuos. Dios nos muestra que estos hombres fuertes ya fueron derrotados y atados por el poder de los cielos.

"Para esto apareció el hijo de Dios, para deshacer las obras del diablo" (1 Juan 3:8b).

A nosotros se nos han dado las "llaves del reino". Hay poder para gobernar sobre las fuerzas de las tinieblas. No tenemos que orar por eso: La batalla ya se ganó en los cielos y estamos para atar en la tierra lo que ya ha sido atado en los cielos.

Entonces, ¿a qué se refiere desatar? Desatar es dejar a los cautivos libres. Por medio del ministerio de la liberación los cautivos son liberados de las cadenas de la esclavitud que Satanás ha puesto alrededor de ellos.

". . . y había allí una mujer que desde hacía 18 años tenía espíritu de enfermedad, y andaba encorvada, y en ninguna manera se podía enderezar. Cuando Jesús la vio, la llamó y le dijo: Mujer, eres libre de tu enfermedad" (Lucas 13: 11, 12).

Cuando el pastor o el principal de la sinagoga se enojó porque esta liberación había sido hecha en el día de reposo Jesús respondió:

". . . Hipócrita, cada uno de vosotros ¿no desata en el día de reposo su buey o su asno del pesebre y lo lleva a beber? Y a esta hija de Abraham, que Satanás había atado dieciocho años, ¿no se le debía desatar de esta ligadura en el día de reposo?" (Lucas 13:15-16).

La palabra griega para desatar en este texto es: *luo*. Luo se define en el lexicón de Thayers como "dejar flojo algo amarrado o apretado; aflojar o desatar a alguien cautivo; liberar; sacar de la prisión; poner en libertad de la esclavitud o de la enfermedad, como alguien a quien Satanás tenía agarrado, por medio de la restauración de la salud".

La victoria sobre los espíritus demoníacos ya fue ganada por Jesús. En lo concerniente a los cielos todo cautivo ha sido liberado. El principio es el mismo de la salva-

ción. Jesús ha provisto la salvación para todo hombre. Entonces, ¿por qué no son salvos todos los hombres? La sangre se debe aplicar personalmente. Todo hombre que se
aplica la sangre por fe es salvo. Los que la rehusan o se
descuidan en aplicarse esa sangre están perdidos. De esta
manera Jesús ha provisto la liberación. En lo que respecta a
los cielos está terminada. La llave para desatar al cautivo ya
se dio al creyente. El puede desatarse a sí mismo y a otros
sobre la tierra porque esto ya se hizo en los cielos. ¡Gloria
a Dios!

Ahora, hay quienes enseñan que la palabra desatar
significa desatar el Espíritu Santo o los ángeles para llenar
el espacio vacío que ha sido dejado por los demonios que
salen. Como ya se demostró, la palabra "desatar" se relaciona con quienes estaban en grilletes y cadenas, entonces,
¿cómo es posible referir esto al Espíritu Santo o a los
ángeles? ¿Están ellos atados en algún sentido?

Además, no está dentro de la autoridad de los hombres ordenar a los ángeles. Mientras es una verdad bendita
que los ángeles son "espíritus ministradores" en favor de
todos los herederos de la salvación (Hebreos 1:14), debemos ser muy cuidadosos al notar que son enviados a ministrar en favor nuestro. ¿Quién es el que les envía? Pues,
naturalmente vienen de parte de Dios. Podemos orar y
pedirle a Dios que envíe a sus ángeles, pero no hay ningún
precedente en las Escrituras para que nosotros les ordene-
mos o para que nosotros mismos los dirijamos.

Es extremadamente peligroso elevar a los ángeles por
encima de la categoría que tienen establecida en las Escrituras, pues entonces uno podría comenzar a mirar a los
ángeles en lugar de buscar la ayuda del Señor. De hecho,
esto se relaciona con la idolatría y muy pronto puede dege-
nerar en una "adoración de ángeles", que también está
prohibida (véase Colosenses 2:18). Buscar la ayuda de los
ángeles y no la de Dios, es dejar de mirar a la cabeza que es
Cristo (Colosenses 2:19).

Para repetir, "atar" se refiere a Satanás y a los demonios y "desatar" se refiere a las personas que han estado
atadas por las fuerzas de las tinieblas. Satanás es atado, la
víctima es desatada. Esto sucede como resultado de un
ministerio de liberación efectivo.

Pros y Contras sobre
Técnicas y Métodos

Aunque deseo dar algunas guías y algunos patrones, quiero aclarar que este ministerio de liberación siempre debe estar bajo la orientación directa del Espíritu Santo. Entre los cristianos hay la tendencia a mirar las fórmulas patentadas en los ministerios espirituales en lugar de permanecer dependientes de la conducción del Espíritu. He observado que diversas personas comprometidas en el ministerio de liberación utilizan sistemas muy distintos. Esto es entendible, pues la Biblia no da muchos detalles sobre los métodos empleados ya sea por Jesús o por sus discípulos. No debemos atarnos en pequeñas reglas que hemos hecho para nosotros mismos. Entonces, ¿cómo han resultado tales reglas? Si obtenemos éxito usando una técnica determinada entonces nos inclinamos a concluir que es la técnica la que hizo el truco. He encontrado que el Espíritu Santo goza con la variedad y que podemos descansar en él para cualquier técnica que sea necesaria.

¿Cuáles son algunas de estas reglas hechas por el hombre? Alguien puede decirnos que *nunca* deberíamos imponer las manos en una persona de quien se están expulsando demonios. Otro individuo insistirá justamente en lo contrario que *siempre* debemos imponer las manos en la persona. Aun habrá quien alegue que es necesario frotar el vientre de la persona o golpearle la espalda a fin de que los espíritus salgan. Si comenzamos a mirar métodos y técnicas terminaremos en una confusión sin esperanza y esto es exactamente lo que el demonio quiere que hagamos.

La verdad del asunto es que el Espíritu Santo puede dirigirle a usted a hacer alguna o todas las cosas mencionadas antes. El Espíritu me ha llevado a hacer algunas cosas muy extrañas en las ministraciones de liberación y nuestro

objetivo es escuchar y obedecer al Espíritu Santo. A
Moisés debe haberle parecido muy raro cuando Dios le
ordenó golpear una roca a fin de suministrar agua al pueblo
o arrojar un árbol en las aguas amargas a fin de endulzarlas.
Parecería extraño que Jesús hubiese escupido en la tierra
e hiciese un poquito de lodo para colocarlo sobre los ojos
del hombre ciego a fin de curarlo. ¿Qué diferencia hay con
respecto a las técnicas que el Señor elige, si los resultados
van a venir?

Imposición de Manos

Hay quienes alegan que Jesús nunca impuso las manos
a nadie durante una liberación, pero por lo menos hay dos
ejemplos que indican lo contrario. Uno es la sanidad de la
suegra de Pedro. En Lucas 4:39 se nos dice que Jesús
"reprendió a la fiebre". El trató a la fiebre como una personalidad. Esto indica que la fiebre era demoníaca. El
relato paralelo en Mateo 8:15 dice: ". . . y tocó su mano, y
la fiebre la dejó . . .". Un segundo ejemplo de imposición
de manos para liberar una persona fue el caso de la mujer
que estaba atada por un espíritu de enfermedad.

> ". . . y había allí una mujer que desde hacía dieciocho años
> tenía espíritu de enfermedad, y andaba encorvada, y en
> ninguna manera se podía enderezar. Cuando Jesús la vio,
> la llamó y le dijo: Mujer, eres libre de tu enfermedad. Y
> puso las manos sobre ella; y ella se enderezó luego, y glori-
> ficaba a Dios" (Lucas 13:11-13).

Como hay registrados sólo unos pocos ejemplos en
que Jesús impuso las manos durante una liberación, no
vamos a concluir que la imposición de manos siempre es
necesaria. El mismo principio es cierto al ministrar el bautismo en el Espíritu Santo. La Escritura indica que a veces
se impusieron las manos para impartir el Espíritu Santo,
pero otras veces no se hizo así. De nuevo necesitamos permanecer sensibles a la dirección del Espíritu Santo en lo
que respecta a nuestro obrar.

Una vez estábamos expulsando demonios de un joven
de 16 años. El primer demonio que se llamó fue *miedo*; el
muchacho fue tomado por los demonios y arrojado al
suelo. Cinco hombres presentes procuraron sujetarlo física-

mente, apenas con éxito parcial. Se llamaron varios otros demonios y las manifestaciones violentas acompañaban a cada espíritu. Entonces el Espíritu Santo por una palabra de conocimiento hizo saber que la manifestación se debía a un *espíritu de violencia*. Al muchacho se le instruyó para no permitir que ese demonio le dominara, sino a colaborar con nosotros, en el Espíritu, ordenándole continuamente que saliese en el nombre de Jesús. El espíritu de violencia fue expulsado sin demasiada lucha y no hubo más manifestaciones de violencia cuando se echó fuera otra gran cantidad de demonios. Así aprendimos que un demonio presente en una persona se puede manifestar a sí mismo aun cuando otros espíritus se hayan llamado antes. Esto demostró ser de mucha utilidad para comprender algunas cosas. En muchas liberaciones posteriores, cuando la persona se volvía violenta, se expulsaba el demonio de violencia y las manifestaciones violentas pasaban completamente.

Un caso muy interesante fue el de una mujer de más o menos unos treinta años. No era una persona físicamente fuerte y tres meses antes de la liberación se le había hecho una intervención quirúrgica mayor. Sin embargo, mostró una fortaleza física poco natural bajo las manifestaciones del demonio. Cuando la ministración comenzó fue arrojada al piso y yacía sobre la espalda. A causa de su fuerza sobrehumana se asignó a una persona para cada uno de los cuatro miembros. Mi esposa se montó sobre la pierna derecha de la mujer y dijo con toda autoridad, "Esta pierna no se va a mover más", pero en un momento la mujer la levantó del piso con esa pierna.

Había muchos espíritus fuertes en esta mujer. La lucha para hacer salir a cada uno de ellos era tan intensa que físicamente no soportaba sino la expulsión de uno o dos demonios al día. Pero estaba tan decidida a quedar completamente libre que venía todas las tardes después del trabajo para que se le ministrara más. No fue sino hasta dos semanas después de estas luchas diarias cuando encontramos una clave. Se observó que cuando nadie tocaba a la mujer los espíritus no reaccionaban tan violentamente. Pero cuando alguien la tocaba, entonces un demonio comenzaba a gritar, "No me toques, no me toques". Nos dirigimos a ese demonio como *"espíritu no me toques"* y le ordenamos salir fuera. Después que este demonio fue expulsado ya no hubo otras manifestaciones de violencia.

Hemos encontrado el demonio "no me toques" en varias oportunidades. En algunos casos los demonios reaccionaban sólo al contacto de un hombre, pero en otros únicamente al contacto de una mujer. Hay ocasiones en que es mejor no imponer manos sobre las personas.

Son mucho más frecuentes los casos en que la imposición de manos ayuda a desalojar los espíritus del mal. Otras veces cuando los espíritus hablan a través de la persona, ocasionalmente sucede que el espíritu grita y gime, "Tu mano está caliente; me quema", o palabras semejantes. Los demonios pueden sentir la unción de la mano que está ministrando y son torturados por esa unción.

Los demonios pueden habitar en cualquier parte del cuerpo humano. Una de las zonas favoritas parece ser el bajo vientre. Cuando al ministrar se impone una mano sobre esta área los demonios a menudo saldrán a través de la boca con más rapidez. De ahí porqué es sabio y útil tener tanto hombres como mujeres en el equipo de liberación. Las mujeres pueden imponer las manos sobre las mujeres y los hombres sobre los hombres.

En una ocasión se le ministraba a una joven. Yo estaba de pie detrás de ella, tenía mis manos sobre su cabeza y los demonios salían rápidamente. De pronto me llegó una palabra de conocimiento que debía retirar mis manos inmediatamente. Lo hice así y pasé al frente para ver qué manifestaciones había en su rostro. Había salido a la superfice un *espíritu de concupiscencia* que se identificó como un *"espíritu de coqueteo"*. Por medio de palabras y de expresiones faciales comenzó a flirtear con dos de los hombres presentes en la habitación. Como el contacto de una mano masculina había servido para "alimentar" tal espíritu, se hizo muy evidente por qué el Espíritu Santo me ordenó quitar mis manos.

Algunas de las razones que se alegan para no imponer manos en la liberación se basan en el temor. Muchos pueden temer que los espíritus del mal los ataquen. He oído a alguien decir que mientras imponían manos sobre una persona durante la liberación había sentido que un espíritu maligno salía de esa persona a su propia mano y subía por su brazo a su cuerpo. Personalmente no he tenido tal experiencia nunca. He impuesto muchas veces las manos en centenares de personas en un período de varios años y nunca he sido atacado por un demonio como resultado de tal contacto físico.

El principio es este: *ningún demonio puede atacarnos o entrar a nosotros a menos que haya una puerta abierta para hacerlo.* El temor puede suministrar tal puerta. Si uno se asusta o teme que un demonio puede atacarlo, entonces ha dado al demonio la puerta abierta que necesita.

Hay una situación que podría hacerle pensar a uno que ha sido atacado durante una liberación. Por ejemplo, se está expulsando un *espíritu de duda* y cualquier otra persona en la habitación puede tener también un espíritu de duda. A medida que se da la orden para que salga "la duda", los espíritus de duda en ambas personas se pueden agitar y comenzar a reaccionar o a manifestarse. He sido testigo de muchos ejemplos de esto.

Entonces, ¿qué acerca del versículo que dice, "No impongas con ligereza las manos a ninguno . . ." (1 Timoteo 5:22)? Personalmente estoy convencido que este pasaje se relaciona sólo con la imposición de manos en las ceremonias de ordenación y no se refiere a imponer las manos para otros propósitos como sanidad, ministrar el bautismo en el Espíritu Santo o liberación. Si estas palabras se pudieran aplicar a la liberación, no es para prohibir la imposición de manos sino más bien una advertencia sobre hacerlo en forma prematura. Este es un principio aplicable a toda situación donde se use la imposición de manos. En efecto, *no debemos ministrar a toda persona que encontremos, ni vamos a ministrar a ninguna persona sin antes prepararla de manera adecuada.*

De nuevo enfatizo que debemos cuidarnos de temer a los espíritus malos. Si el diablo puede hacer que nos asustemos de él, entonces ha tenido un contra ataque exitoso. La Biblia nos asegura que podemos enfrentar a los espíritus demoníacos en batalla, absolutamente sin temor que ellos sean capaces de vengarse o perjudicarnos.

> "He aquí os doy potestad de hollar serpientes y escorpiones, y sobre toda fuerza del enemigo, y nada os dañará" (Lucas 10:19).

"Y en nada intimidados por los que se oponen, que para
ellos ciertamente es indicio de perdición, mas para vosotros
de salvación; y esto de Dios" (Filipenses 1:28).

Los demonios buscarán inspirar temor en quienes
están ministrando. Muchas veces he oído a los espíritus
hablar a través de la persona y hacer amenazas de causar
daños. En una liberación el demonio abrió los ojos de la
persona, me miró con una mirada de hielo y con el rostro
de la persona directamente dirigido a mi rostro dijo tres
veces con énfasis creciente en cada ocasión . . . "¡Te tendré! ¡Te tendré! ¡Te tendré!" Con toda calma contesté,
"No, demonio, no me vas a tener. Jesús dijo que podía
pisotearte y que no vas a hacerme ningún daño. No te
tengo miedo, de modo que inmediatamente sal fuera, en
el nombre de Jesús". Salió y no se produjo ningún per-
juicio.

No debemos dar ninguna atención a las amenazas de
los espíritus porque todos son mentirosos y acusadores. En
muchas oportunidades el demonio ha amenazado diciendo,
"Si me expulsas entraré en ti", o en alguna otra persona
que esté en el cuarto. El propósito de tal amenaza es provocar miedo y hacer que el ministro de liberación cese su
ataque. El temor es una táctica muy común del enemigo y
uno debe asegurarse en su propio corazón que en verdad
no tiene nada que temer. El enemigo, ya ha sido derrotado
por Jesús, y en el nombre de Jesús "toda rodilla se do-
blará" (Filipenses 1:10).

Conversación con Demonios

No es posible parar toda la conversación de los demonios cuando en la liberación se trata con ellos. A veces
hablarán sin ninguna advertencia. Así lo hicieron con
Jesús. Pero ¿deberíamos conversar con ellos cuando quieren hablar? He llegado a un punto de vista muy conserva-
dor sobre este tema. No se debería conversar con los demonios a menos que el Espíritu Santo indique que hay algún
propósito específico al hacerlo.

En la liberación del endemoniado gadareno Jesús ordenó al espíritu hablar al preguntarle, "¿cómo te llamas?"
(Marcos 5:9). Y ¿qué se va a ganar al ordenarle a un espí-

ritu que se identifique? La experiencia ha demostrado que
el poder del espíritu se rompe con más facilidad cuando se
le obliga a identificarse. Algunos espíritus son mucho más
tercos u obstinados que otros. En la mayoría de los casos,
un espíritu terco saldrá cuando se vea forzado a identificarse. Su poder quedará roto.

Sin embargo, hay un peligro inherente al conversar
con los espíritus demoníacos; uno nunca se debe permitir
conversar con los demonios a fin de adquirir conocimiento.
La Biblia prohibe estrictamente tales comunicaciones con
los demonios (Deuteronomio 18:10-11). El cristiano tiene
al Espíritu Santo como su fuente de conocimiento, de sabiduría y de orientación. Inclusive, cuando se les ordena
decir la verdad en el nombre de Jesús, los demonios men-
tirán en esas ocasiones. Sin embargo, hay veces en que el
Espíritu Santo hará que se obligue a un demonio a decir
los nombres de los otros espíritus que viven en el cuerpo
de una persona. No sobra insistir que el propósito de esto
es desbaratar su resistencia y que no se debe convertir
nunca en un sustituto del don de discernimiento de espíritus. No tenemos que depender de las bocas mentirosas de
los espíritus del mal para que nos den información que
debemos y podemos obtener por medio del Espíritu Santo.

Cuando al principio comencé mi ministerio de liberación, ordenaba a los espíritus que hablasen. Muy poco
tiempo después encontré que todos hablan las mismas
cosas y que mezclan un poco de verdad con muchas mentiras. El novato está pronto a querer escuchar a los demonios pero también muy pronto aprenderá que eso no es
necesario. Los demonios son suficientemente hábiles como
para conocer que mientras puedan mantener una conversación no se les va a ordenar que salgan. En realidad odian
escuchar las palabras, "Cállate, y sal fuera". Su charla
siempre es una táctica dilatoria.

> "Pero había en la sinagoga de ellos un hombre con espíritu
> inmundo, que dio voces, diciendo: ¡Ah! ¿qué tienes con no-
> sotros, Jesús nazareno? ¿Has venido para destruirnos? Sé
> quién eres, el Santo de Dios. Pero Jesús le reprendió, di-
> ciendo: ¡Cállate, y sal de él! Y el espíritu inmundo, sacu-
> diéndole con violencia, y clamando a gran voz, salió de él"
> (Marcos 1:23-26).

También vale la pena preguntar a los demonios aun cuando a veces no hablan por medio de la persona a quien se está liberando. Una vez vino una señora que tenía muchos "síntomas" de opresión demoníaca. Dos horas de intensa ministración no produjeron resultados. No hubo la más leve manifestación que algún demonio estuviese presente o que hubiera salido. Al día siguiente, mientras leía el Evangelio de Marcos, llegué al relato familiar del gadareno en el capítulo cinco. El Espíritu Santo hizo que me detuviera en el versículo siete donde el demonio había clamado, "no me atormentes". Fui al lexicón griego y encontré que la palabra *"tormento"* significa *"preguntar aplicando tortura"*. Llamé a la mujer, la hice volver esa tarde y comencé a bombardear a los espíritus con preguntas: ¿Cómo se llaman? ¿Cuánto hace que están ustedes allí? ¿Son tan tontos para pensar que pueden resistir el nombre de Jesús?, etc. En el curso de pocos minutos la mujer comenzó a toser y a expulsar demonios. Los espíritus no habían hablado a través de esta mujer ni habían dado ninguna señal de escuchar lo que yo dije, pero la tortura de ser interrogados rompió su poder. Podemos estar seguros que nuestras preguntas y órdenes son efectivas, inclusive antes de ver resultados exteriores.

Interrupciones Durante la Ministración

La liberación se puede hacer en una atmósfera tranquila. La experiencia aumentará la confianza y nos capacitará para ministrar sin tensión. El ministro que hace la liberación debe darse cuenta que es un siervo del Señor y se debe mover en el poder y la autoridad que se le han dado. El, y no el poder de los demonios, está al comando de la situación.

Una ministración se puede prolongar. Se puede extender varias horas. Tanto la persona a quien se está liberando, como el ministro que hace la liberación, pueden necesitar unos pocos minutos de descanso. Usualmente conviene interrumpir la ministración después que haya salido un grupo de espíritus. Cuando se hace tal pausa, no se ha perdido ningún terreno. Usted simplemente comienza donde dejó.

A menudo sucede que en mitad de una liberación la

persona recuerda otras áreas donde los demonios han entrado o que el Espíritu Santo la haga consciente de alguna información relacionada. Entonces está bien suspender y permitirle compartir esas cosas. Sin embargo, se debe ser muy cuidadosos sobre las astucias del enemigo. Las personas en quienes se está ministrando pueden decir, "Necesito un poco de agua" o "Quiero ir al baño", o dar alguna otra excusa para dejar la habitación. A veces esto puede ser un demonio que está hablando y no la persona. El demonio procurará que la persona salga. Si uno está alerta no necesariamente será víctima de ese truco. ¿Cuán profundamente ha sido tomada la persona por los espíritus? ¿Son sus ojos fijos? ¿Es la voz la de la persona? ¿Qué dice tu propio espíritu?

Un amigo mío era nuevo en el ministerio de la liberación. El y un compañero estaban expulsando demonios de otro hombre. Los espíritus habían dominado a este hombre y los dos ministros lo sostenían sobre el piso con todas sus fuerzas para impedir que sus manos y sus pies se movieran. Después de un momento el hombre se quejó que lo estaban lastimando y que necesitaba descansar durante unos minutos. Sin darse cuenta que era el demonio el que hablaba y no el hombre mismo, le dejaron en libertad. Tan pronto como las piernas quedaron libres el demonio hizo patear al hombre y mi amigo sufrió la fractura de tres costillas. Este es un caso raro, pero enfatiza la necesidad de reconocer quién es el que habla.

Posiciones del Cuerpo

Como los demonios salen principalmente a través de la boca o de la nariz, y esta expulsión se puede acompañar con moco o flema, es mejor tener a la persona en una posición compatible con tales manifestaciones. Una de las mejores posiciones es que la persona esté sentada en una silla recta y se incline hacia adelante a partir de la cintura con los brazos descansando sobre las rodillas. Para ministraciones cortas la persona puede estar de pie. En unos pocos casos la persona puede querer echarse sobre el piso o colocarse sobre sus manos y sus rodillas. La posición variará de acuerdo con el tipo de manifestaciones que se produzcan. Por regla general la persona se ajustará a cualquier posición que sea mejor sin instrucciones específicas. Es cuestión de saber lo que es normal o natural.

Asistí a un servicio donde un ministro que es muy prominente en el ministerio de la liberación dirigía una liberación en grupo. Era una reunión grande y cerca de 100 personas habían pasado adelante para la liberación. El ministro pidió que quienes tuvieran experiencia en la liberación se mezclasen con el grupo para ayudar. Un joven cerca de mí fue tomado inmediatamente y cayó al piso. Tosía violentamente y los demonios salían con flema de su boca. Era verano y el aparato de aire acondicionado no trabajaba y hacía mucho calor. Una pequeña multitud se reunió alrededor de este joven y se pudo ver que estaba muy incómodo. Entonces hubo una pausa en el proceso de liberación y sugerí que se le dejara sentar durante unos pocos minutos, pero un individuo al lado mío me reprendió en una forma muy dura y me dijo que era necesario que el hombre se quedara en la posición que tenía hasta cuando todos los espíritus hubieran salido. Accedí a la solicitud pues, la liberación del joven era más importante que entablar una discusión con ese hermano. Pero esto era completamente contrario a toda mi experiencia. La persona que recibe la ministración debe estar en una posición cómoda.

CAPITULO 17

El Equipo de Liberación

Jesús estableció el patrón de un trabajo en equipo para sus discípulos. Cuando envió a los doce a ministrar los envió de dos en dos. Cuando comisionó a los setenta también los envió de dos en dos. En el Libro de los Hechos se encuentran otros equipos de trabajo. En el primer viaje misionero estaban Pablo, Bernabé y Juan Marcos. Más tarde fueron Pablo y Silas. Bernabé eligió a Juan Marcos. Aquila y Priscila eran una pareja, esposo y esposa, que trabajaban en equipo. El ministerio en equipo es un principio escritural y es especialmente apropiado y efectivo en el ministerio de la liberación.

Tamaño y composición

Idealmente, ¿cuántos deberían conformar un equipo de liberación? Esto se puede responder en forma arbitraria. Las situaciones varían según la liberación. Para ministrar a una sola persona un equipo constituido por dos a seis individuos es por lo general apropiado. El equipo debería estar compuesto tanto por hombres como por mujeres. A causa de las facetas tan extraordinarias de este ministerio un hombre no debe ministrar solo a una mujer, ni una mujer debe ministrar sola a un hombre. La mejor combinación es que esposo y esposa ministren como equipo cuando quiera que sea posible. Como "la imposición de las manos" se puede usar durante la ministración es mejor que haya representantes de ambos sexos en el equipo. Los hombres y las mujeres no deberían imponer manos en el sexo opuesto en forma indiscriminada. También a veces es necesario limitar físicamente a la persona a quien se le ministra. Aunque no peleamos contra carne y sangre en ocasiones los demonios hacen demostraciones muy violentas, de manera que se debe evitar que la persona que experimenta la liberación se hiera a sí misma o que lesione a otros.

Unidad de equipo

La unidad es absolutamente esencial en un equipo de liberación. Satanás capitalizará toda desunión. El buscará crear la desunión por métodos tortuosos. Es necesario estar en guardia constante contra esta táctica que se ilustra muy bien por una experiencia que tuve la segunda vez que actuaba en un equipo de liberación. Seis o siete de nosotros en un grupo de oración nos dedicamos a liberar a una mujer de una opresión demoníaca. Al ser retados, los demonios comenzaron a hablar rápidamente a través de ella. Un demonio dijo, "Sólo uno de ustedes está siguiendo realmente al Señor; los demás apenas llevan una etiqueta de cristianos". El propósito de esta afirmación era romper nuestra unidad y lo hizo. Cada uno inmediatamente comenzó a pensar que era el único que seguía al Señor y se puso a sospechar de la dedicación de los otros. En consecuencia, perdimos de vista al enemigo y la atención de todos se centro en sí mismo y en los demás.

Todo grupo que trabaja junto debe aprender a fluir en el Espíritu y a tener confianza el uno en el otro. Cuando se está en el calor de la batalla con los poderes demoníacos no hay tiempo para discutir las diferencias personales. Si un miembro del equipo discierne un espíritu los otros miembros deben recibir el testimonio en su espíritu. Sin embargo, es mejor seguir y expulsar al espíritu discernido que emprender una discusión sobre la seguridad del discernimiento. A veces podrá haber algún error en el discernimiento pero esto no debe afectar ni desalentar la ministración total.

Funciones de los miembros del equipo

Se debe enfatizar que no es posible imponer reglas rígidas. Cada miembro del equipo debe ser sensible y obediente a la dirección del Espíritu Santo. Usualmente lo mejor es que sólo una o dos personas den las órdenes a los espíritus. Los demás miembros estarán en oración o en lectura de la Biblia o alabando o cantando. Los himnos que enfatizan la sangre de Jesús son especialmente efectivos y apropiados. No es raro que la "dirección" cambie varias veces especialmente si el trabajo se extiende durante una hora o más. Esta transición en el liderazgo se puede hacer muy suavemente.

Puede ser difícil para una persona permanecer en la posición de liderazgo después de un período de tiempo largo. ¿Han visto una bandada de gansos en vuelo? Entonces, van a tener un cuadro de cómo la responsabilidad del liderazgo puede cambiar de uno a otro. El ganso que va adelante luchará contra el viento unos minutos y luego se va atrás en la formación para "descansar" mientras otra ave pasa a la posición directriz y toma su sitio. El equipo de liberación puede cooperar de una forma semejante. El propósito es dejar al cautivo libre y dar la gloria a Jesús, de manera que no importa quién dirige la lucha. Cada puesto del equipo es importante.

CAPITULO 18

¿Debo Ser un Ministro de Liberación?

"¿Cómo llegó usted a ser ministro de liberación?" Esta pregunta se me hace muy a menudo. Con toda seguridad no fue algo que yo deseaba ni que estuviera buscando. Con frecuencia digo a la gente, "Si usted mira afuera, en la tierra, encontrará surcos hechos por los dedos de mis pies cuando fui comprometido en este trabajo. El Señor no me llamó a esta faceta del ministerio, simplemente me metió en ella". En Mateo 9:38 Jesús dice a sus discípulos que deben orar para que el Señor de la mies "envíe" obreros. La interpretación literal es que él escogerá o enviará los obreros. Así fue como experimenté "el llamado". El Señor no me lo preguntó, me lo dijo.

Fue un descubrimiento fascinador aprender que Jesús es el mismo ayer, y hoy, y por los siglos (Hebreos 13:8). Cuando experimenté el bautismo en el Espíritu Santo descubrí que los milagros no habían terminado con los doce apóstoles o cuando se completó el canon de las Sagradas Escrituras. Los milagros son para el día de hoy. Fui a oir a Kathryn Kuhlman y fui testigo de muchos milagros de sanidad en sus servicios. Mi fe se avivó y comencé a pensar en los amigos que necesitaban sanidad.

Un pastor amigo y compañero pesaba mucho sobre mi corazón. Quería verlo sano más que a cualquier otro de quienes podía pensar. Durante 16 años sufrió un dolor de cabeza continuo que era el resultado de una seria lesión cefálica. Los médicos no ofrecían ninguna solución. Sugirieron una cirugía exploratoria del cerebro, pero Fred no consintió en tan peligrosa operación con tan poca promesa de ayuda. A causa del dolor él no podía dormir y sus nervios se rompían en pedazos. No podía estudiar ni preparar adecuadamente sus sermones. El constante dolor le hacía duro e irritable. Su familia se encontraba bajo una tensión muy grande. Los hijos no podían hacer ningún ruido y todo giraba alrededor del sufrimiento de mi amigo.

Le dije a Fred que iba a orar por él hasta cuando estuviera curado. Cada día durante una semana pasé mucho tiempo en oración por él. Luego, una mañana cuando estaba orando, el Señor me dijo que el problema de Fred se debía a un espíritu inmundo. En verdad, ¿había oído la voz de Dios? ¿Cómo podría compartirle tal revelación a mi amigo? ¿Qué pensaría él? Después de todo, ¿qué sabía yo de demonios? Había oído unas pocas referencias sobre ellos en un par de reuniones a las que había asistido, pero nunca había leído nada sobre el tema. ¿Cómo podía estar seguro? ¿Qué debía hacer?

La impresión de compartir mi revelación con Fred no se fue, sino que creció más y más. Un día, cuando estábamos juntos, muy cautamente toqué el tema. "Fred, he prometido orar por ti hasta cuando el Señor te cure", le recordé. "He estado orando todos los días. El Señor, ya me reveló cuál es tu problema". Hice una pausa para observar la reacción de Fred. Me prestaba toda su atención. "Bueno, alabado sea Dios" respondió. "¿Qué te dijo el Señor?" "Bien, Fred no sé lo que puedas pensar de esto," contesté, mientras elegía las palabras tan cuidadosamente como era posible, "pero el Señor me dijo que tus dolores de cabeza se deben a un demonio". Sostuve el aliento a medida que le observaba el rostro para ver su reacción. Ignoraba que Fred tenía más conocimiento sobre los demonios que yo, pero recibió mis palabras sin esfuerzo. "Bueno, ¡Gloria a Dios!" exclamó, y hasta con mucho júbilo. "¿No dice la Biblia que los demonios pueden ser expulsados? Quiero que expulses ese demonio de mí".

"No, no, espera un minuto", protesté. "No sé nada sobre expulsar demonios, pero pienso que podría encontrar a alguien que sepa cómo hacerlo. Dame unos pocos días para orar sobre quién pueda hacer esto por ti y te comunicaré tan pronto como lo encuentre".

Luego seguí en oración pidiéndole a Dios que me llevara a un ministro de liberación. El Señor me dijo, "Tú lo harás". Entonces volví a orar. Con todo cuidado le expliqué al Señor que yo no tenía ningún mérito. Esto debe haber sonado peor que cuando Moisés en la zarza ardiente buscaba excusas para no sacar al pueblo de Egipto. Pero el Señor no me dio ninguna otra alternativa y debía llevar a cabo esa liberación.

Muchos pensamientos comenzaron a revolotear en mi mente. ¿Qué me sucedería si yo hiciera un ataque frontal contra los espíritus diabólicos? ¿No me tomarían como un blanco especial? Con seguridad me iba a meter en problemas. Las perspectivas eran aterradoras.

Una semana después hablé de nuevo con Fred. Le comenté los resultados de mis oraciones. No parecía muy razonable que yo fuera quien le ministrara, pero él estaba completamente decidido a continuar con esto. Nos pusimos de acuerdo en que oraríamos otra semana y estudiaríamos lo que las Escrituras decían al respecto. Luego nosotros y nuestras esposas nos reuniríamos para ver qué pasaba.

Por fin llegó al día en que intentaríamos la ministración. Fred y su esposa iban a llegar a nuestra casa para cenar y luego iríamos a la iglesia para la reunión de oración o lo que fuera a ser. Me sentía más bien contento porque ese día nos resultó muy ocupado. Fue necesario hacer un viaje de negocios fuera del pueblo y regresamos a casa más o menos dos horas antes de la llegada de Fred y su esposa. En el escalón exterior de nuestra puerta encontré un pequeño folleto sostenido con una piedra. Un amigo había ido para regalármelo pero al no estar en la casa dejó así el folleto. Casi no podía creer a mis ojos cuando leí el título **"Una introducción a la expulsión de demonios"** por Derek Prince. Mi amigo no sabía nada de la ministración pendiente. El tiempo era perfecto. ¡Todo tenía que ser de Dios!

En pocos minutos devoré el contenido del folleto. Era muy práctico y estaba saturado con información muy útil. Podíamos esperar alguna clase de manifestación cuando los demonios salieran. Por lo menos me sentí un poco más confiado al respecto. Cuando Fred llegó hice que él y su esposa leyeran el folleto antes de intentar la ministración.

Pasamos algún tiempo en oración antes de tratar con los demonios. Yo pensaba apenas en términos de sólo un demonio aislado, pues mi conocimiento y comprensión no daban para más. Fred aún estaba arrodillado cuando sugerí que comenzáramos la expulsión del demonio. Mi esposa y yo impusimos nuestras manos sobre su cabeza y ambos dijimos, "Te ordeno demonio salir fuera de él en el nombre del Señor Jesús". Después que había dado esta orden y que mi esposa la había repetido, esperamos a ver qué pasaba. Por último le preguntaba, "¿Sentiste algo Fred? ¿Piensas que algo ha sucedido?" Fred sacudió su cabeza negativamente. No había sentido nada. Entonces tuvimos una breve consulta y decidimos probar de nuevo.

La orden se dio varias veces más. ¿Qué le pasaba a Fred? Su cara se estaba contorsionando. Procuraba hablar, pero no podía articular ninguna palabra. Parecía que estuviese como en choque, pero ahora no era tiempo de aflojar ni de suspender la tarea. Así, continuamos ordenándole al demonio salir de él. Fred comenzó a toser violentamente y esto duró alrededor de un minuto. Luego se desplomó hacia el piso y quedo inmóvil. "¿Qué pasó, Fred, salió? le pregunté, "Eso creo," musitó. Escasamente podía hablar. "Estoy tan débil que no me puedo levantar", explicó. Oramos por Fred y agradecimos a Dios su liberación. Pasaron por lo menos cinco minutos antes que Fred pudiera sentarse.

La esposa de Fred había estado sentada y orando todo este tiempo. Ahora la oí cantar muy suavemente y reconocí la melodía de un himno muy familiar "Gracia maravillosa". Pensé que me uniría a ella en el himno pero a medida que escuchaba para seguir las palabras me di cuenta que estaba cantando en lenguas. Unas semanas antes yo había orado para que recibiera el bautismo en el Espíritu Santo, y sólo había podido hablar unas pocas frases en lenguas. Ahora cantaba con libertad completa. Todos los cuatro estábamos gozosos y felices.

Una semana más tarde, cuando vi a Fred de nuevo, le pregunté por su dolor de cabeza. Estaba muy confiado en que me iba a decir que había desaparecido. "Frank, no sé qué hacer", comenzó Fred, pero todavía lo tengo. Mi cabeza no ha mejorado nada". El sentimiento enfermizo de derrota se apoderó de mí. ¿Cómo pudo una ministración ser tan dramática y sin embargo no ser efectiva? Ambos estabamos confundidos y frustrados.

Fred me dijo que había aceptado pastorear una iglesia en otro estado y que se iba inmediatamente. Esto fue seis meses antes que le viera otra vez. Como estábamos en un viaje que nos llevó bastante cerca de su nuevo lugar de ministerio, condujimos unas pocas millas extras para visitarle y pasar allí la noche. Mientras orábamos esa tarde, se decidió que deberíamos intentar ministrar a Fred de nuevo. Durante los meses pasados habíamos aprendido un poco más sobre los demonios. Podía haber más de un demonio. Quizás no dimos con el que estaba causando el dolor de cabeza. Debíamos ser más persistentes.

De nuevo sentamos a Fred en una silla y nos reunimos alrededor de él. El cooperaba mucho y quería hacer cualquier cosa que le ofreciera un rayo de esperanza para ser liberado del incesante dolor que le estaba destruyendo. En este punto no sabíamos cómo descubrir los diferentes tipos de espíritus y no habíamos recibido ningún discernimiento sobrenatural de espíritus o demonios específicos. Entonces dimos una orden general para que cualquier demonio que estuviera en él saliera. Cada vez que lo hacíamos, Fred tenía una tos o una expulsión con el aliento. El podía sentir como una presión en su garganta que se aliviaba mediante la tos. Esto sucedió unas seis veces. "Tu dolor de cabeza, ¡todavía está o ya se fue?" "No, duele peor que antes", respondió Fred. Podíamos decir que algo todavía estaba dentro de él. Recordé haber escuchado en una cinta sobre liberación que el ministro ordenaba a los espíritus que se identificaran. Entonces decidí que debíamos intentarlo.

"¿Cómo es tu nombre?" pregunté al demonio que con seguridad aún estaba dentro de Fred. "En el nombre de Jesús te ordeno que me digas tu nombre". Su cara comenzó a retorcerse como durante la ministración inicial. Nos mantuvimos ordenando que el demonio se identificara. Los labios de Fred avanzaban y su boca se contorsionaba en una mueca. Muy lentamente y en una voz que era escasamente audible sólo se escuchó una palabra "D-o-l-o-r".

Fue tan simple. ¿Por qué no lo habíamos pensado antes? *"Demonio de dolor*, fuera de Fred". Nuestras palabras eran insistentes. "En el nombre de Jesús, fuera de él". La esposa de Fred debió experimentar en su espíritu algo sobre lo que iba a suceder porque tomó un periódico de la mesa del comedor y lo echó sobre el piso, a los pies de Fred. Inmediatamente Fred tosió y arrojó grandes cantidades de flema sobre el papel. ¡El demonio había salido! ¡Y el dolor se fue! Esto hace casi cinco años y Fred está aún sano. Dios había respondido a nuestras oraciones. ¡Bendito sea su nombre!

Victoria sobre el temor

El temor impide que muchas personas se conviertan en ministros de la liberación. El temor de los demonios y el temor del hombre. Mi teoría original sobre el diablo era que si yo lo dejaba tranquilo, él me dejaba tranquilo. Nada está más lejos de la verdad. Dejar tranquilo al diablo, sólo es permitirle que trabaje sin ninguna oposición. No hay ninguna razón para temer al diablo o a sus demonios porque Jesús los conquistó y venció. En 1 Juan 3:8 se nos recuerda que Jesús vino a este mundo con el propósito expreso de destruir las obras del diablo. Colosenses 2:15 nos muestra que por medio de la cruz el Señor desarmó los principados y las potestades, hizo una exhibición pública de ellos y triunfó completamente sobre ellos.

A fin de ir contra los principados y las potestades demoníacas sin miedo, es indispensable entender que a Satanás no se le dejó ningún poder verdadero. Es un mentiroso, un engañador, un usurpador, y un ladrón. Jesús ya puso todo juicio sobre él (véase Juan 16:11). **Ahora es responsabilidad de la iglesia ejecutar ese juicio.** Cuando nos levantamos contra los demonios con la autoridad del nombre de Jesús y en el poder de su sangre vertida, los demonios no tienen ninguna elección: se deben ir. No hay necesidad de tener ningún temor ante un enemigo despojado de su armadura (véase Lucas 11:22). Está absolutamente indefenso. La única cosa que el cristiano debe temer es al temor mismo.

Satanás, ese viejo mentiroso y engañador procurará hacerte creer que va a vengarse de ti. Te dirá que te atacará a ti y a tu familia con enfermedades, con lesiones o con algún siniestro. Pero puedes perfectamente pisotearle bajo tus pies porque el Señor Jesucristo dice ". . . os doy potestad de hollar serpientes y escorpiones, y sobre toda fuerza del enemigo, y nada os dañará" (Lucas 10:19).

Cuando no escuchamos las mentiras que los demonios susurran en nuestros oídos, entonces nos atacarán con mentiras en las bocas de los hombres. Alguien continuamente me dice, "¿Has oído sobre el Dr fulano y fulano o sobre el hermano fulano y fulano, hombres prominentes en el ministerio de liberación? Supe que han arruinado sus ministerios por estarse metiendo con los demonios y ya no tienen más invitaciones para ministrar en ninguna parte". Pero sé de hecho que esos hombres de Dios reciben más solicitudes para ir a ministrar de las que pueden atender. Estas son mentiras del diablo para causar temor.

Unos pocos pastores a quienes conozco, comenzaron el ministerio de liberación y el diablo les dijo que perderían miembros de sus iglesias o que los miembros en proyecto se asustarían y escaparían. Indudablemente, el demonio puede hacer que algunos se ofendan o se asusten, pero cuando un pastor decide guardar su propio reinito a expensas de desobedecer la comisión de Cristo, perderá mucho más de lo que había esperado ganar.

"¿Has oído que el pastor perencejo está expulsando demonios de los cristianos?" Si el diablo no te puede derrotar con tácticas de temor y de mentiras, recurrirá a la crítica en la boca de otros. Dos ministros estaban hablando y el primero decía, "Debemos ser muy cuidadosos en estos días sobre las doctrinas falsas y las falsas enseñanzas, porque ¿no has oído de ese predicador que se llama Hammond que está por aquí expulsando demonios de los cristianos? (El segundo ministro dejó pasar la oportunidad de decir, Hammond está ministrando liberación a mi propio rebaño ahora mismo") "Hammond no piensa más sino en el diablo. Creo que deberíamos mantener nuestras mentes enfocadas tan sólo en Jesús". El diablo debe estar en realidad encantado al tener a alguien que entone ese coro. El diablo usará cualquier truco para mantener a la gente de Dios fuera de la batalla espiritual y todo lo que hace es para conseguir eso.

DEMANDAS PERSONALES PARA EL MINISTRO

Jesús advirtió a sus seguidores tener en cuenta el costo del discipulado. Servir al Señor requiere sacrificios personales. Si uno no está dispuesto a pagar el precio nunca se debe comprometer. Considera algunas de las exigencias que están sobre el ministro de liberación.

1. Tiempo. La liberación es un ministerio que consume mucho tiempo. Esto es cierto desde el punto de vista de la cantidad de tiempo que se gasta con una persona y de la gran cantidad de personas a quienes uno debe ministrar. Hay tal cantidad de solicitudes de liberación hoy que quien se entrega a este ministerio entenderá fácilmente por qué se dijo de Jesús

". . . y entrando en una casa no quiso que nadie lo supiese; pero no pudo esconderse" (Marcos 7:24).

2. Energía. Habrá ocasiones en que una ministración se prolongue durante varias horas. Muchas veces nuestro equipo de liberación ha trabajado hasta bien pasada la media noche y todavía había personas esperando vernos. En algunas oportunidades hemos ministrado hasta 16 horas por día durante una semana o más. En tales ocasiones hemos recibido fortaleza extra suministrada por el Señor. Pero el ministro de liberación puede encontrarse buscando descanso como lo recomendó Jesús a sus discípulos.

"El les dijo: Venid vosotros aparte a un lugar desierto, y descansad un poco. Porque eran muchos los que iban y venían, de manera que ni aun tenían tiempo para comer" (Marcos 6: 31).

3. Paciencia. Siempre hay algunos que no retienen su liberación. Son lentos en aprender y se les debe enseñar y alentar repetidamente. Hay la tentación de pasar el tiempo con otros que se muestran más promisorios, pero el Señor querría que fuésemos pacientes con los que aprenden más despacio.

EL MINISTRO DEBE SER DEDICADO

Si ya está comprometido en este ministerio o si piensa comprometerse, propóngase una dedicación completa. Dedíquese a Cristo y a los demás. Cuando los discípulos de Jesús fallaron en su intento de liberar a un muchacho luná-

tico de su opresión demoníaca buscaron el motivo a su falla y Jesús les dio la respuesta cuando dijo . . .

> "*¡Oh generación incrédula y perversa!* ¿Hasta cuándo he
> de estar con vosotros? ¿Hasta cuándo os he de soportar?
> Traédmelo acá" (Mateo 17:17).

Jesus dijo que eran "*incrédulos*". La palabra literalmente significa infieles, sin fe o sin firmeza. Se les acusó de
no estar dedicados por completo a Cristo. Además, el Señor les llamó "*generación perversa*". La palabra "*perversa*"
aquí significa desviarse. Los discípulos estaban más interesados en otras cosas que en el Reino de Dios. En el relato
paralelo de Marcos leemos que los discípulos disputaban
entre sí sobre cuál de ellos sería el mayor. No es de extrañar que Jesús les encontrara infieles y desviados. No es de
extrañar que no tuvieran ningún poder.

1. Amoroso y sabio. Se debe tener compasión ge-
nuina por los demás. El ministro de liberación tendrá muchas oportunidades para demostrar el verdadero carácter
de su amor. Siempre debe estar listo para ir la segunda mi-
lla y para colocar la otra mejilla. En nuestro propio ministerio a menudo hemos encontrado necesario invitar a las
personas a permanecer en nuestra casa durante un período
de tiempo para que reciban una ministración adecuada. Esto requiere amor, pero también necesita sabiduría. En tales
personas he encontrado demonios que tratan de controlar
mi casa, gobernar mi vida y golpearnos con palabras de
acusación y condenación. El amor hacia una persona no se
expresará si se cede a las presiones que pretenden imponer
los demonios. Después que la persona ha sido liberada,
agradecerá el hecho de haber reconocido la diferencia entre
ella como persona y los demonios que hablaban y actuaban
en ella.

2. Libre de culpa. Esto nos lleva a observar que el
mismo ministro de liberación debe estar libre de interferen-
cias demoníacas antes de ministrar a otros. A menos que él
mismo se haya sometido a una liberación, encontrará una
resistencia interior y una lucha que obstaculizarán seriamente su propia efectividad. Aprendí esta lección por mí

mismo al intentar ministrar liberación a mi esposa. Nos dimos cuenta que los demonios eran responsables de ciertas tensiones entre nosotros. Un día cuando estábamos en el hogar decidimos ministrarnos uno a otro en estas áreas. A medida que llamaba a los demonios y les ordenaba que la liberaran, fue arrojada al piso y los espíritus del mal comenzaron a hablar por medio de ella. Un demonio hizo una acusación directa contra mí. Sabía que era culpable de lo que el demonio me acusaba. Eso me puso bajo tal condenación que no pude seguir con la liberación de mi esposa. Me fue necesario confesar mi pecado, pedirle perdón y hacer que ella expulsara el demonio de mí, antes de poder continuar ministrándole. Esto nos unió con amor y perdón y cerró la puerta para toda otra interferencia del enemigo.

3. Llevar las cargas de los otros. Un ministro de liberación escuchará muchas historias sórdidas, así como actitudes y hechos pecaminosos. El puede ministrar a quienes son líderes respetados en la iglesia y que nunca han compartido sus conflictos interiores y fallas con los demás. Hay veces en que ministrará confidencialmente y en amor para llevar las cargas de los otros y cumplir así la ley de Cristo. Lo que oiga no debe afectar su relación con esa persona. No se permitirá recordar pecados que Cristo ya perdonó o reflexionar sobre una fealdad que la liberación limpió.

El ministro de la liberación debe ser como el sacerdote del Antiguo Testamento que comía las ofrendas por los pecados y las transgresiones. De acuerdo con Números 18: 8 y siguientes, sólo Aarón y sus hijos podían comer la carne de esas ofrendas. ". . . todo varón comerá de ella . . ." Las otras ofrendas podían ser comidas por el resto del ministerio sacerdotal, pero sólo los sacerdotes varones podían comer las ofrendas por el pecado y por las transgresiones. Era su deber comerlas. El *"varón"* representa la fortaleza. Es necesario que un ministro o persona fuerte lleve a cabo este ministerio. En el Nuevo Testamento todos los creyentes somos sacerdotes. Como sacerdotes es nuestro deber "comer" las ofrendas de los pecados y las transgresiones de los demás. Lo que se nos trae en el espíritu de la confesión y el arrepentimiento es consumido, y no se debe compartir ni siquiera con los miembros de la propia casa.

"Hermanos, si alguno fuere sorprendido en alguna falta, vosotros que sois espirituales, restauradle con espíritu de mansedumbre, considerándote a ti mismo, no sea que tú también seas. tentado. Sobrellevad los unos las cargas de los otros, y cumplid así la ley de Cristo". (Gálatas 6: 1-2).

4. Con oración y ayuno. Jesús dejó muy en claro que algunas clases de demonios son más fuertes que otros, pues dijo:

"Este género con nada puede salir, sino con oración y ayuno". (Marcos 9: 29).

Los discípulos habían fallado en un intento de liberar a un muchacho de un espíritu sordo y mudo. En esencia Jesús atribuyó su falla a la ausencia de dedicación espiritual. Nosotros también podemos fallar por la misma razón. Jesús recomendó la oración y el ayuno como remedio para esta condición espiritual. El concepto de ayuno se está restaurando en la iglesia hoy. Ayunar no es una manera fácil para obtener de ganga el poder de Dios, sino una vía para crucificar la carne, para que los afectos completos de uno estén por encima de todas las cosas y no sobre las cosas de la tierra. Fuera del ayuno y de la oración nadie desarrollará los recursos espirituales adecuados para todo encuentro con el enemigo.

BENDICIONES Y BENEFICIOS

No debe quedar la impresión que el ministerio de liberación es todo dureza y sacrificios. Hay muchas bendiciones y beneficios. Hay muchas ocasiones de gozo. Inclusive los mismos períodos de liberación son oportunidades para adoración y alabanza. La Palabra de Dios encuentra un lugar muy notorio, pues la Espada del Espíritu nos impulsa contra el enemigo. Muchos textos escriturales también se usan para enseñar, corregir, instruir, y exhortar. Luego, está la oración con el entendimiento y la oración con el Espíritu, oraciones de petición, de intercesión, de acción de gracias y de alabanza. Hay cánticos que exaltan a Cristo y a su sacrificio e himnos de adoración. Hay gozo y regocijo cuando los cautivos son libres, a medida que la emoción final de la victoria encuentra su expresión en crescendos de alabanza. Cuando la liberación se conduce en tal atmósfera espiritual, se genera un poder que rompe la resistencia del enemigo. Jesús se mantiene en preeminencia y los siervos del Señor son fortalecidos y edificados.

Por medio de este ministerio he conocido a algunas de las más hermosas personas en la familia de Dios. Es alentador encontrar cuántos cristianos buscan la expresión completa de la vida espiritual. Se ponen a un lado todos los disimulos y apariencias y se conoce a mucha gente con gran rapidez. Nunca podré poner precio al valor de las amistades ganadas por medio de los contactos hechos con el ministerio de la liberación.

Y cuánto gozo ver a las multitudes que alcanzan la victoria. Lo más frustrante de mi ministerio pastoral era la consejería. Estaba listo para escuchar, para ofrecer consejo, y para brindar valor, pero la mayoría de las veces no había ningún remedio. Ahora llegamos a las raíces del problema y hay respuestas donde antes no se encontraban. Los cristianos se salvan de vidas de ruina y de derrota y se les lleva a la estabilidad y a la fructificación.

A menudo digo que una de las mayores bendiciones que he recibido con este ministerio es la profundidad que he alcanzado en el ámbito espiritual. He descubierto una línea muy nítida de separación entre el reino de la luz y el reino de las tinieblas. Se han avivado el conocimiento y la conciencia espirituales. Las asechanzas de Satanás se disciernen con mayor rapidez. La vía de la justicia delante de Dios es mucho más sencilla que antes. Es más fácil evitar los conflictos carnales con otros y mantener firme la lucha contra las huestes espirituales de maldad en las regiones celestes.

CAPITULO 19

Sugerencias Prácticas para el Ministro que Hace la Liberación

¿Cómo en verdad se libera a una persona de los espíritus demoníacos? Este es el lado práctico de la liberación. Las sugerencias hechas en este capítulo no se ofrecen como lo último en procedimientos. Es nuestro propósito compartir lo que se ha obtenido por medio del estudio, la revelación y la experiencia. Urgimos a cada persona que trabaja en el ministerio de la liberación a permanecer sensible a las enseñanzas y guía del Espíritu Santo.

El equipo y el cuarto para ministrar.

Cuando se planea una ministración se debe escoger un lugar adecuado. Debe ser una habitación situada de manera tal que otros no se alteren o se exciten por los sonidos que se puedan producir allí. Desde luego debe estar en un sitio donde la ministración no se vea interrumpida por los extraños. Debe haber un número suficiente de sillas para los que asistan. Una silla recta, sin brazos, es la más apropiada para el candidato. Debe situarse en la habitación de tal forma que los otros se puedan reunir alrededor. Como hay oportunidades en que los demonios salen con vómito o con expulsión de flema, debe haber un equipo para cuidar de esta eventualidad. Un recipiente plástico como una papelera o un balde se consigue fácilmente. Debe haber también un suministro adecuado de toallas de papel o de pañuelos faciales y debe haber a mano una libreta para tomar notas.

La conferencia previa a la ministración

Suponemos que el candidato a quien se le va a ministrar no ha sido obligado por su familia o por sus amigos y que está listo y dispuesto para la liberación. Se le explica que *la honradez y la humildad* son claves para una ministración efectiva. La persona debe saber que todo lo que vaya a compartir se hace en confianza y que no se divulgará. Sin embargo, a quienes experimentan la liberación se les anima a relatar su experiencia propia como testimonios del amor y del poder de nuestro Dios. El mismo Señor Jesucristo animó así al endemoniado gadareno:

> "Mas Jesús no se lo permitió, sino que le dijo: Vete a tu casa, a los tuyos, y cuéntales cuán grandes cosas el Señor ha hecho contigo, y cómo ha tenido misericordia de ti. Y se fue, y comenzó a publicar en Decápolis cuán grandes cosas había hecho Jesús con él; y todos se maravillaban" (Marcos 5: 19-20).

El propósito de esta conferencia es demostrar la presencia de los espíritus y descubrir su naturaleza. Esto se hace al determinar cuáles son o cuáles han sido los problemas en la vida de la persona (véase el capítulo "Siete maneras para determinar la necesidad de la liberación"). Los demonios entran por medio de puertas que les abrimos en nuestras vidas. El objetivo de la conferencia es determinar cuándo y cómo se abrieron tales puertas.

Alguno en el equipo de la liberación actuará como secretario. En la parte superior de la página se escribe el nombre de la persona, la dirección, y la fecha de ministración. Las notas que se toman tienen un propósito triple: 1. Capacitarán al equipo de liberación para *proceder de una forma ordenada* por medio de una ministración cuidadosa. 2. La persona a quien se libera quizás puede desear una copia de las notas para ayudarle a entender qué demonios tenía, cómo entraron, cuáles eran las agrupaciones o colonias, *y para saber exactamente cómo se debe guardar* a fin de mantener su liberación. 3. El registro también lo guarda el equipo de liberación en el caso que sea necesario *un seguimiento.* Cuando se ministra a muchas personas, no es posible recordar toda esta información.

Haga que el sujeto comience a recordar las experiencias y las actitudes que asumió en la vida que hubieran abierto puertas para que entraran los demonios. Satanás no respeta ninguna regla de ética y no tiene remordimientos para aprovechar las circunstancias de la niñez. De hecho busca siempre las circunstancias por las cuales puede entrar para obrar. Este procedimiento descubrirá cosas como rechazo, inseguridad, soledad, inferioridad, resentimiento, rebeldía, temores, odios, autocompasión, fantasías, celos, y mentira.

El candidato puede insistir en que algunas de esas cosas ya no son problemas en su vida. Esto puede ser cierto. Sin embargo, múltiples experiencias demuestran que una vez que una puerta se ha abierto a determinado tipo de demonio, permanece allí hasta cuando sea expulsado. Después que uno se hace cristiano y desarrolla una vida espiritual, obtiene fortaleza sobre la influencia de los demonios que están dentro. Esto no significa necesariamente que los espíritus del mal se desanimen y se vayan. Jesús nunca enseñó ninguna otra forma de librarse de los demonios sino expulsándolos en su nombre. Hemos oído demonios que se quejan porque ya no van a tener más una casa cómoda en la persona donde habitaban y que su poder sobre esa persona ha disminuido. Sin embargo, el demonio ha preferido permanecer allí en lugar de correr el riesgo de no ser capaz de entrar en alguna otra persona. Vive allí con la esperanza de atrapar a la persona en un momento de debilidad para poder ganar de nuevo el control.

Los problemas presentes de la persona por lo general tienen sus raíces en la vida anterior. Por ejemplo, puede haber tensión y contienda entre una esposa y su esposo. Esto podría originarse en un *espíritu de rebeldía* que entró en la esposa cuando era niña y en un *espíritu de resentimiento* que entró en el esposo cuando era joven. Estos son los hechos que la charla previa puede traer a la luz.

Cuando se descubre un demonio se comienza a buscar sus compañeros (véase el capítulo sobre "Agrupaciones comunes de demonios"). Por ejemplo, la persona puede decir que tiene un problema con la *timidez*. Los espíritus acompañantes pueden incluir *inseguridad*, *inferioridad*, *miedo*, y *autocompasión*. Cuando se descubren colonias de espíritus se colocan juntos en una lista y se trata con toda la colonia completa en el momento de hacer la expulsión. Si alguno queda rezagado, procurará abrir la puerta para que los otros vuelvan.

Hay unas pocas cosas que impedirán a una persona

recibir la liberación. La más común es la *falta de perdón hacia otros*. Quienes no perdonan a alguien, ya sea vivo o muerto, no pueden ser liberados. El motivo de esto aparece en Mateo 18: 21-35. Así como Dios nos perdonó, también debemos perdonar a los demás. La sanción por no perdonar es ser entregados a los verdugos (en griego, atormentadores) es decir, los espíritus demoníacos. Esto se puede arreglar fácilmente, si la persona hace una oración de perdón para todos los que puedan haberle ofendido.

El *compromiso con las prácticas del ocultismo* es un segundo obstáculo que impide la liberación. Estas cosas pertenecen al reino de Satanás y son serias ofensas a Dios. Todo contacto con el terreno de lo oculto, no importa cuán leve haya sido, nunca se debe tomar a la ligera. Se debe renunciar en forma absoluta a él y se debe pedir el perdón de Dios. Lo mismo sucede para el compromiso con cualquier forma de *secta religiosa o religión falsa*.

Otra cosa que obstaculizará la liberación es el *aborto*. Si una mujer ha consentido en un aborto, debe confesarlo como un asesinato y recibir el perdón de Dios. Todo hombre que haya sido cómplice de un aborto, también debe confesar su participación en ese crimen. Una vez estaba ministrando a una señora a quien conocía bastante bien. La ministración estaba bloqueada y los demonios se resistían a salir. Esa noche Dios me despertó y me dijo una palabra de conocimiento: "aborto". Pensé que sabía lo suficiente de esa mujer como para darme cuenta que nunca había tenido un aborto, pero al día siguiente le pedí que me dijese si alguna vez había estado en conexión con un aborto. Ella quiso saber cómo lo supe, y le dije que el Señor me lo había revelado. Entonces me contó que tres meses antes una vecina había ido a verla. La vecina estaba embarazada con un cuarto niño. No quería tener más hijos y pidió la opinión de mi amiga sobre el aborto. Ella aconsejó a la vecina que se lo hiciera. Cuando comprendió que esto era malo, lo confesó y los demás demonios comenzaron a salir de ella.

Algunas personas con bastante experiencia en el ministerio de la liberación testifican que el *adulterio inconfeso* bloqueará la ministración. Se dice que la ofensa se debe confesar a la persona contra la cual se ha pecado, como el marido que confiesa su infidelidad a la esposa y viceversa.

Mi propia experiencia ha demostrado que esto no es un requisito indispensable para la liberación, pues los *demonios de la lujuria y del adulterio* se han expulsado de personas que no confesaron la falta a sus cónyuges. Todo pecado conocido, de cualquier especie, se debe confesar a Dios antes de la liberación y es mi convicción personal que se debe estar completamente dispuesto a confesar el adulterio al cónyuge, conforme el Señor dirija. Quizás el cónyuge puede no estar preparado para escuchar tal confesión. Aquí se necesita la sabiduría. Nuestro objetivo es "no dar lugar al diablo", ya sea por no confesar o por una confesión a destiempo.

La oración de liberación

La oración es especialmente apropiada en el momento de la liberación. Cualquiera de los presentes puede dirigir la oración, pero antes que la liberación verdadera tenga lugar, el candidato también debe orar. Para este propósito hemos encontrado que una oración escrita es muy efectiva. Cada miembro del equipo mantiene una copia de esta plegaria en la parte posterior de su Biblia. La oración particular que hemos usado es una que obtuvimos por medio del ministerio del Dr. Derek Prince y dice así:

"Señor Jesucristo, creo que diste tu vida en la cruz por mis pecados y te levantaste de los muertos. Me redimiste por tu sangre, te pertenezco y deseo vivir para ti. Confieso todos mis pecados, conocidos y desconocidos, me arrepiento de todos y renuncio a ellos. Perdono a todos los demás como quiero que tú me perdones a mí. Perdóname ahora y límpiame con tu sangre. Te agradezco por tu sangre, Señor Jesús, que me limpia ahora de todo pecado. Llego a ti ahora como mi libertador. Tú conoces mis necesidades especiales, aquellas cosas que me atan, que me atormentan, que me ensucian, aquel espíritu inmundo, y reclamo la promesa de tu palabra, "que cualquiera que clame en el nombre del Señor será liberado". Ahora te llamo a ti. En el nombre del Señor Jesucristo, libérame y déjame libre, Satanás, pues renuncio a ti y a todas tus obras. Me libero yo mismo de ti, en el nombre de Jesús, y te ordeno salir de mí ahora en el nombre de Jesús. Amén (1).

(1)   Usada con permiso del Dr. Derek Prince.

Autoridad sobre los poderes espirituales

Ya hemos visto en el capítulo sobre la batalla espiritual, que los poderes demoníacos están dispuestos en una cadena de orden. Satanás tiene sus representantes asignados, sobre naciones, ciudades, iglesias, hogares y vidas individuales. La Escritura nos instruye a enfrentar esta estructura espiritual con batallas espirituales. Por tanto, tomamos autoridad sobre todas las potestades superiores que tengan autoridad sobre los demonios que habitan en quien se está liberando. Atamos esas potestades superiores para que no intervengan de ninguna manera en la ministración. Luego atamos el "hombre fuerte" o espíritu gobernante que está sobre los demonios menores que habitan la persona.

"Porque ¿cómo puede alguno entrar en la casa del hombre fuerte, y saquear sus bienes, si primero no le ata? Y entonces podrá saquear su casa" (Mateo 12: 29).

Ordene a todos los espíritus que moran en una persona desatarse entre sí. Prohíbales prestarse ayuda o darse auxilios mutuos de cualquier manera.

Ordene salir a los demonios

A medida que uno de los ministros comienza a ordenar a *los demonios* específicos salir en el nombre de Jesús, los otros en la habitación estarán dedicados a leer las Escrituras a alabar o cantar. Esto por lo general se hace en voz baja. En las primeras etapas de mi ministerio de liberación habitualmente agotaba la voz en unas pocas horas. Ni el tono ni el volumen que utilizamos hacen temblar y obedecer a los demonios, sino la autoridad con que hablamos en el nombre de Jesús.

Usualmente me dirijo a los demonios de esta manera, "Demonios, sé que ustedes están allí. Conozco su presencia y sus obras perversas. Les informo que no tienen ningún derecho para permanecer en esta persona. Esta persona pertenece al Señor Jesucristo, Jesús la compró con su sangre. Este cuerpo es un templo del Espíritu Santo y todo lo que contamina y ensucia debe salir. Como ustedes son invasores, se deben ir ya y les ordeno que salgan ahora mismo en el nombre de Jesús".

La persona a quien se le está haciendo la liberación debe cooperar de la siguiente forma: debe abstenerse de orar, de alabar o de hablar en lenguas. Estas son maneras de llevar al interior al Espíritu Santo y la boca y el aliento se deben dejar libres para que salgan los espíritus del mal. Se le debe animar a entrar en la batalla con su voluntad. Se puede dirigir a los espíritus y hacer que los demonios sepan que está decidida a que se vayan, porque no quiere tener ninguna parte más con ellos.

Luego, la persona a quien se está liberando debe comenzar a expulsar su aliento con fuerza unas pocas veces. Como los espíritus salen a través del aliento, esto ayudará a su salida. O puede producir algunos golpes de tos. Casi siempre eso es suficiente para "prender la bomba" y los demonios comenzarán a salir con rapidez, mientras las manifestaciones se sostienen sin un esfuerzo consciente. La persona puede forzar la tos y los demonios entonces comienzan a salir con la tos o con los bostezos.

Persevere en ordenar a los demonios hasta cuando obtenga resultados. La confianza aumenta con la experiencia. Los demonios parecen tener conciencia de toda falta de confianza que hay en el ministro que hace la liberación. A medida que la autoridad de la fe crece, los demonios responderán más rápidamente.

Si no sale ningún espíritu en el curso de unos cuatro o cinco minutos puede haber algún obstáculo. En una ocasión un joven vino para ser liberado. Cuando ordenamos salir a los demonios, inmediatamente comenzaron a manifestar su presencia sacudiendo el cuerpo del joven. La batalla se prolongó casi durante una hora. Era evidente que los demonios se encontraban allí y que estaban muy agitados, pero ninguno salía. Nos detuvimos para buscar la dirección del Espíritu. A medida que orábamos el muchacho se puso muy nervioso y comenzó a escarbar en sus bolsillos con mucha excitación. Le preguntamos qué buscaba y respondió que estaba buscando una medallita de San Cristóbal que usaba como suerte y protección. Por último la encontró y le explicamos que la medalla era un ídolo que reemplazaba su dependencia de Dios. Era cristiano desde hacía unos pocos días y estaba dispuesto a escuchar todas las enseñanzas. Estuvo de acuerdo en quitarse el ídolo, renunciar a él y pedir el perdón de Dios por haber confiado en ese ídolo como ayuda. Inmediatamente los demonios comenzaron a salir. Ya no tenían ningún derecho legal sobre él.

Las escrituras, los himnos, y las referencias a la sangre del Señor Jesús están llenos de poder. Algunas personas no comprenden por qué "pedir la sangre". No es cuestión de repetir la palabra "sangre" una y otra vez, o la frase "Pido la sangre". Más bien se trata de dar testimonio de lo que la sangre hace por el creyente. La sangre nos redime, nos limpia, nos justifica, y nos santifica. Por medio de la sangre de Jesús hay perdón para todos los pecados.

Mientras se ministraba a una joven, los demonios la arrojaron al piso y principió a rodar por toda la habitación. Hablamos a los demonios de la sangre de Jesús y comenzaron a rogar que no nombrásemos ni cantásemos de la sangre. Un demonio dijo, "No me puedo quedar para oir esa palabra". Le ordené decirme por qué no podía quedarse para oir de la sangre del Señor Jesús (entiendo perfectamente que no voy a obtener teología de los espíritus demoníacos pero este demonio habló la verdad). Dijo, "Porque es tan roja, porque es tan tibia, porque es viva, porque cubre todo". Pensar un poco me hizo caer en cuenta que la sangre roja es sangre viviente. La sangre que es tibia también es sangre viviente, La sangre de Jesús *es viva*. De ahí por qué es hoy aún tan poderosa como lo era en el momento en que fluía de las venas de Jesús. Es la sangre expiatoria. Expiar significa "cubrir". Los demonios están derrotados por la sangre viva y expiatoria de Jesús que cubre todo pecado. ¡Amén!

CAPITULO 20

Agrupaciones de Demonios

Los demonios se identifican de acuerdo con su naturaleza. Un *espíritu de odio* se llama "odio". Cada demonio es un especialista. Un demonio de odio no alienta la concupiscencia ni la lujuria, solamente estimula el odio. Cuando a los demonios se les ordena identificarse con un nombre, usualmente se nombrarán en identidad con su naturaleza, p.e., *rebeldía, maldición, indiferencia,* etc. Sólo ocasionalmente un demonio dará un nombre personal como "Juanito" o "Paulina". A veces usan nombres extranjeros. Esta es una maniobra de engaño para evitar que el ministro de liberación conozca su naturaleza verdadera. El ministro debe ordenar a los demonios que revelen su naturaleza diciendo, "¿cuál es tu naturaleza, demonio?"

Los demonios que viven en las personas rara vez se encuentran aislados; por lo general se juntan en grupos. Cada agrupación se puede considerar como una colonia, un clan, una tribu o una familia. Cuando se descubre o se discierne un demonio, inmediatamente uno debe estar alerta para buscar sus compañeros. Un grupo de demonios se juntan con el propósito de controlar un área particular en la vida de una persona. Por tanto, es muy lógico que los espíritus se encuentren en grupos especiales. Ciertos tipos de espíritus se encuentran una y otra vez en las mismas combinaciones; sin embargo, no se debe presumir que la combinación sea siempre la misma. Las posibilidades de agrupación de los demonios son ilimitadas.

Dentro de cada grupo habrá un *"hombre fuerte"* o espíritu dominador. Con frecuencia durante la ministración se identificará específicamente un espíritu gobernante. No siempre es necesario que sea identificado como un espíritu gobernador para que tenga lugar la liberación. Por lo general tal identificación se dará por uno o dos motivos. Primero, el Espíritu Santo puede dirigir un orden en el procedimiento. El ministro de liberación deberá estar alerta a cualquier plan de batalla que el Señor quiera mostrar. Hay situaciones donde el Señor hará que se trate en primer lugar con el espíritu gobernante y luego con los espíritus compañeros. Otras veces la dirección del Señor será expulsar los espíritus menores primero y por último el espíritu gobernante. Parece que no vale la pena preguntarse por qué el Señor dirige en un modo o en otro. Un buen soldado está entrenado para seguir las órdenes sin cuestionar a su comandante. A veces se le puede dar una gran amplitud para que elija su propia ruta de ataque pero en otras ocasiones sus órdenes son muy específicas. Lo mismo es cierto en las batallas de la guerra espiritual.

Una segunda razón para que los espíritus se deban identificar es por el beneficio de la persona que recibe la liberación. Es muy útil conocer cuál espíritu sea, a fin de estar en guardia especial contra él en el futuro. Algunos espíritus están particularmente ligados o unidos con cuadros de hábitos que se deben cambiar y áreas del hombre carnal que se deben crucificar. Después de la liberación la persona debe luchar algunas batallas por sí misma para mantenerla. Es extremadamente útil conocer de manera exacta, cuando uno está peleando, contra qué combate, lo que es de la carne y lo que viene de los espíritus.

Por la experiencia que se ha ganado en centenares de liberaciones al tratar con grupos de demonios, estoy convencido que el espíritu gobernante es el primer espíritu en invadir cierta y determinada área. Como es el primero en ganar la entrada se puede establecer como gobernante. Luego se convierte en la llave y abre el camino a otros espíritus. Cuando se está expulsando a los demonios no es raro ordenar al espíritu gobernante, " ¡Fuera tú y contigo todos tus compañeros!" o " ¡Sal y trae todas tus raíces!" Si una parte de un grupo no se expulsa, se deja una puerta para que el grupo regrese. Por este motivo la liberación debe ser lo más cuidadosa y completa posible.

Se puede encontrar más de un espíritu demoníaco de un tipo determinado, dentro de un cierto grupo. Por ejemplo, la colonia de amargura puede contener varios *espíritus de resentimiento*. También un tipo dado de demonio puede estar presente en más de un grupo. Por ejemplo, se puede encontrar un *demonio de ira* en la colonia de amargura y otro demonio de ira en la colonia de perfección. En una liberación es posible expulsar varios grupos de espíritus. En cada grupo puede haber un *espíritu de depresión*. Sólo mediante la acción del don sobrenatural de discernimiento se puede saber qué se ha tratado con tales combinaciones de espíritus.

La siguiente lista de grupos de demonios representa cuadros que se han comprobado por medio de sesiones verdaderas de liberación. Estas agrupaciones sólo sugieren lo que se puede encontrar. La lista de ninguna manera pretende ser exhaustiva, ni supone que las agrupaciones sean invariables. Se da una explicación sobre algunos grupos de la lista para ofrecer alguna profundidad en los problemas causados por un grupo particular de espíritus. Casi todos los grupos se explican por sí solos.

Los autores creen que la información que se brinda en este capítulo será de un gran valor práctico para quienes tienen un llamado al ministerio de la liberación. Ayudará a todos a entender mejor cómo los demonios se agrupan entre sí. Muchos años de estudio y de experiencia se han condensado en unas pocas páginas.

AGRUPACIONES COMUNES DE DEMONIOS

1. **Abatimiento**
    Carga
    Melancolía
    Opresión
    Repugnancia
    Tristeza
2. **Acusación**
    Crítica
    Halla faltas
    Juicio
3. **Adicciones y compulsiones**
    Alcohol
    Cafeína
    Drogas
    Glotonería
    Medicamentos
    Nicotina
4. **Afectación**
    Comediante
    Falsificación
    Hipocresía
    Pretensión
    Teatrismo
5. **Amargura**
    Falta de perdón
    Homicidio
    Ira
    Odio

Rabia
Represalia
Resentimiento
Violencia
6. **Autoacusación**
Autocondenación
7. **Autoengaño**
Autoseducción
Error
Orgullo
8. **Celos**
Desconfianza
Egoísmo
Envidia
Sospecha
9. **Codicia**
Ambición material
Avaricia
Cleptomanía
Descontento
Inconformidad
Robo
Tacañería
10. **Competencia**
Argumentativo
Compulsivo
Ego
Orgullo
11. **Confusión**
Frustración
Incoherencia
Olvido
12. **Contienda**
Altercador
Contención
Disgusto
Pelea
13. **Control**
Dominio
Hechicería
Posesión

14. **Culpa**
Condenación
Desconcierto
Indignidad
Inutilidad
Vergüenza
15. **Depresión**
Ansiedad
Derrotismo
Desaliento
Desánimo
Desesperanza
Desespero
Despótico
Insomnio
Morbosidad
Muerte
Suicidio
16. **Duda**
Escepticismo
Falta de fe
Incredulidad
17. **Enfermedad**
(Toda dolencia o enfermedad)
18. **Enfermedad mental**
Alucinaciones
Demencia
Enajenación
Esquizofrenia
Locura
Manía
Paranoia
Retardo mental
Senilidad
19. **Engaño**
Distorsión
Falsedad
Hipocresía
Mentira
Orgullo
Rebeldía

20. **Escape**
    Alcohol
    Drogas
    Estoicismo
    Indiferencia
    Pasividad
    Somnolencia
21. **Espiritismo**
    Guía de espíritus
    Necromancia
    Sesiones
22. **Esquizofrenia**
    (Véase capítulo 21)
23. **Falsa carga**
    Falsa compasión
    Falsa responsabilidad
24. **Fatiga**
    Cansancio
    Desaliento
    Derrota
    Desgaste
    Pereza
    Sopor
25. **Glotonería**
    Autocompasión
    Autoestimación
    Compulsión (para comer)
    Escape
    Frustración
    Nerviosismo
    Ociosidad
    Resentimiento
26. **Herencia**
    (Emocional)
    (Física)
    (Maldición)
    (Mental)
27. **Hiperactividad**
    Compulsión
    Inquietud

Opresión
28. **Idolatría mental**
    Ego
    Intelectualización
    Orgullo
    Racionalización
    Soberbia
    Vanidad
29. **Impaciencia**
    Agitación
    Crítica
    Frustración
    Intolerancia
    Resentimiento
30. **Impureza sexual**
    Adulterio
    Bestialidad
    Concupiscencia
    Depravación
    Exhibicionismo
    Fantasías lujuriosas
    Fetichismo
    Fornicación
    Frigidez
    Homosexualidad
    Incesto
    Lesbianismo
    Lujuria
    Masturbación
    Ninfomanía
    Prostitución
    Violación
    Voyerismo
31. **Indecisión**
    Confusión
    Demora
    Escape
    Indiferencia
    Olvido
    Retardo

Tardanza
Temor
32. **Inseguridad**
Autocompasión
Asustadizo
Ineptitud
Inferioridad
Insuficiencia
Soledad
Timidez
33. **Maldición**
Blasfemia
Broma
Burla
Calumnia
Chisme
Crítica
Desprecio
Murmuración
Rebaja
34. **Mente atada**
Confusión
Espíritus de espiritismo
Espíritus de lo oculto
Temor al fracaso
Temor al hombre
35. **Muerte**
(Manos y piernas rígidas;
blanquea los ojos)
36. **Nerviosismo**
Ansiedad
Dolor de cabeza
Engaño
Errante
Excitación
Hábitos nerviosos
Inquietud
Insomnio
Tensión
37. **Ocultismo**
Adivinación

Amuletos
Análisis escritura
Astrología
Brujería
Cartas
Conjuros
Encantamientos
Ensalmos
Escritura automática
Fetiches
Hechizos
Hipnosis
Horóscopo
Levitación
Magia blanca o negra
Mal de ojo
Palma de la mano
Péndulo
Percepción extrasensorial
Riegos
Sortilegios
Tablita
Tarot
38. **Orgullo**
Altivez
Arrogancia
Ego
Importancia
Rectitud
Soberbia
Vanidad
39. **Paranoia**
Celos
Confrontación
Desconfianza
Envidia
Persecución
Sospecha
Temores
40. **Pasividad**

Alelamiento
Descuido
Indiferencia
Letargo
Retraimiento
41. **Pena**
Angustia
Congoja
Crueldad
Llanto
Pesadumbre
Tristeza
42. **Perfección**
Crítica
Ego
Frustración
Intolerancia
Ira
Irritabilidad
Orgullo
Vanidad
43. **Persecución**
Injusticia
Temor a la acusación
Temor a la condenación
Temor al juicio
Temor a la reprobación
Sensibilidad
44. **Preocupación**
Ansiedad
Aprehensión
Miedo
Temor
45. **Rebeldía**
Desobediencia
Falta de sumisión
Obstinación
Testarudez
46. **Rechazo**
Autorrechazo
Soledad

Temor   al rechazo
47. **Religiones falsas**
Budismo
Confucionismo
Hinduísmo
Islamismo
Sintoísmo
Taoísmo
48. **Religiosos**
Errores doctrinales
Formalismo
Legalismo
Obsesión doctrinal
Religiosidad
Ritualismo
Seducción y engaño
Temor a Dios
Temor a perder la salvación
Temor al infierno
49. **Represalia**
Crueldad
Destrucción
Hiriente
Odio
Rencor
Sadismo
50. **Retirada**
Enfurruñante
Ensoñamiento
Fantasía
Irrealidad
Pretensión
51. **Sectas**
Bahaísmo
Ciencia cristiana
Gnosticismo
Logias y sociedades
Mormonismo
Rosacrucismo
Subud
Teosofía

Testigos de Jehová
Unitarismo
52. Sensibilidad
Autoconciencia
Cobardía
Miedo a la desaprobación
Temor al hombre
53. Suicidio
Autocompasión
Desesperación
Escapismo

Pena
Rechazo
Soledad
54. Temor a la autoridad
Engaño
Mentira
55. Temores
Fobias (toda clase)
Histeria
Miedos (toda clase)

Amargura

En Hebreos 12:15 se hace una advertencia:

"Mirad bien, no sea que alguno deje de alcanzar la gracia de
Dios; que brotando alguna raíz de amargura, os estorbe, y
por ella muchos sean contaminados".

La raíz de amargura es responsable de muchas "perturbaciones." La amargura que se guarda en el corazón por mucho tiempo abrirá la puerta a la invasión de demonios. Esta es probablemente la abertura más común para la actividad de demonios. En muchos casos la amargura es hacia alguien dentro de la familia inmediata.

Los *espíritus de amargura* mantienen vivos los incidentes que nos hirieron. Las cosas que sucedieron hace muchos años aún están frescas y vivas en la memoria como si apenas hubiesen tenido lugar ayer. De esta manera la persona no solamente rivaliza con los problemas actuales sino que se enfrenta siempre con una gran carga de heridas en el pasado. El *espíritu de falta de perdón* mantiene vivos todos estos golpes y los revive de manera constante en la mente de la persona. Así, la herida más trivial nunca se perdona ni se olvida.

Dondequiera que se observe una actitud de amargura, se puede esperar la presencia de los espíritus de *amargura*, de *resentimiento* y de *odio*. En algunas ocasiones esta cadena de espíritus continúa para incluir otros espíritus o todos los del grupo.

Rebeldía

La rebeldía es el *espíritu anticristo*, de desobediencia
y de falta de respeto por la autoridad. Dios ha establecido
la autoridad en el hogar, en la iglesia, y en el gobierno civil.
Dios mismo es nuestra suprema autoridad. Afirmar la obstinación por encima de cualquier nivel de la autoridad en el
orden divino de Dios, es agradar a los demonios de la rebeldía. Para mantener esta área liberada se necesita una completa sumisión a toda autoridad constituida por Dios.

Control

Los espíritus de control se encuentran en casos como
los siguientes: (1) Un padre que muestra un control antina-
tural sobre un hijo ya crecido; (2) un marido o una esposa
que domina al cónyuge; (3) un ministro que es un dictador
y no un pastor; (4) un miembro de un grupo de oración
que controla al grupo o a otros en el grupo. Los métodos
de control pueden incluir falsas visiones o falsas revelacio-
nes, profecías falsas y cosas semejantes. Tal control se
compara o se iguala con la hechicería que busca controlar a
otra persona y hacer que haga lo que se quiere, ya sea que
se sepa en una forma muy clara o sin saber el empleo del
poder de los espíritus del mal.

El ministro de liberación también debe estar preparado para ministrar a las víctimas de los *espíritus de control*.
Haga que las personas dominadas renuncien a todo control
demoníaco y que declaren su libertad de las ataduras con
base en la libertad que Cristo Jesús ganó y en forma firme
rechacen cualquier control posterior. Los individuos liberados deben aprender a ejercitar su propia libertad y a tomar sus propias decisiones. Además, pueden necesitar una
liberación personal de los espíritus de inseguridad, de inferioridad, de temor. También los *espíritus de condenación*
pueden procurar persuadirlos que están hiriendo a las otras
personas con quienes han tenido esa unión tan cercana.
Quizás necesiten ayuda para que les sea posible separar a la
persona de los demonios en la persona. Cuando esto se
cumple pueden amar a la persona pero odiar a los demonios que buscaban controlarlos.

Represalia

Este grupo por lo general tiene su raíz en la amargura. Estos espíritus procuran devolver mal por mal. Una manifestación interesante se observó cuando se liberaba a un grupo de niños de este tipo de espíritu. Mientras un padre sostenía al niño durante la liberación vimos al niño que pellizcaba, mordía o golpeaba al padre. La disposición del niño cambió instantáneamente una vez que los espíritus salieron. En los adultos es más probable encontrar represalias mediante palabras o actos rencorosos.

Rechazo

La puerta para el espíritu de rechazo se abre más frecuentemente durante la niñez o cuando el niño aún está en el vientre de la madre. Si un niño no es deseado, el feto queda abierto para la entrada de un *demonio de rechazo.* Encuentro que para algunas personas esta idea puede ser desde ofensiva hasta repugnante. Piensan que es terriblemente injusto que tal cosa sea posible. Sin embargo, debemos recordar que el diablo no es un caballero y que no se rige por las reglas del deportista limpio. En cambio, es extremadamente maligno y perverso y no vacila ni por un instante en aprovechar una situación que estimule sus propósitos malvados. Satanás goza y se deleita si halla un talón de Aquiles para su objetivo, y elige los momentos más débiles en la vida para atacar. Y, ¿cuándo una persona está más indefensa? Antes de nacer y durante la infancia.

La Biblia dice de Juan el Bautista que antes de nacer fue lleno del Espíritu Santo, cuando estaba en el vientre de la madre (Lucas 1: 15b). Así como el Espíritu Santo entró en Juan el Bautista antes del nacimiento, no podemos dudar de la capacidad de un espíritu demoníaco para entrar en una criatura antes que nazca.

Una madre soltera vino a verme para buscar consejería y ayuda. A causa de las circunstancias de la concepción de su hijo admitió que no deseaba el bebé y que había pensado en el aborto. En el momento de ministrarle estaba en el octavo mes de embarazo. Varios demonios se expulsaron del feto, incluyendo el *espíritu de rechazo.* A medida que se echaban estos espíritus la madre tuvo dolores agudos en el área del vientre. Estos dolores desaparecieron por completo cuando los demonios salieron por su boca.

El ministro de liberación hará muy bien en averiguar a todos los que buscan liberación la posibilidad del rechazo. Es una cosa estremadamente común y con frecuencia muy fuerte. *Casi todos los niños que han sido adoptados tendrán espíritu de rechazo.* Las mismas circunstancias que llevaron a la adopción del niño han provisto una puerta para que los espíritus de rechazo tengan entrada.

El rechazo usualmente se convierte en un monstruo de tres cabezas. Además del espíritu básico de rechazo puede haber un *espíritu de temor al rechazo* y un *espíritu de autorrechazo.* La presencia de estos demonios se demuestra con rapidez por la incapacidad del invididuo para recibir amor o para dar amor a otros. Como ha sido rechazado teme las relaciones cercanas que podrían causarle posteriormente una herida mayor. Teme aceptar el amor de otros y se mantiene a distancia. Así se ha abierto la vía para el *temor al rechazo.*

El autorrechazo se agrega a este tormènto. La persona que· se siente rechazada decidirá que hay algo malo dentro de sí que hace que los otros no gusten de ella. Vuelve sus pensamientos a su interior, se hace introvertida y comienza a odiarse a sí misma por lo que es. Esto es el autorrechazo.

Indecisión

Estos son espíritus en la mente y son bastante comunes. Una persona normal debe ser capaz de pesar los diversos factores de los hechos y llegar a una decisión, pero estos espíritus pueden atormentarla y hacer muy difícil la decisión más pequeña. Toda decisión se convierte en una crisis enorme. Cuando el sujeto no puede resolver algo, entonces pospone la determinación. La indecisión lleva así a la dilación o a la demora. Entre más considera o pesa un tema hay más confusión. En su desesperación o frustración aplaza la decisión y habitualmente elige lo que no es lo mejor. También puede escapar a la responsabilidad de hacer una decisión por medio del olvido.

En algunos casos la dilación o la demora anteceden a la indecisión y pueden ser los espíritus directores. La guía para un espíritu de dilación en un niño se encuentra cuando se le oye decir a menudo, "en un momento" o "en un minuto" o "ya voy". Por ejemplo, una madre ordena a su hijo limpiar su habitación. El niño responde, "En un minuto, ya voy mamá". En verdad, desea obedecer pero el *espíritu de olvido* toma su mente y cuando se le recuerda explicará, "Oh, lo olvide". La mamá entonces debe ejercer la autoridad. Cuando tal situación se sucede repetidamente el niño se vuelve rebelde y terco.

Autoengaño

"Suyos son el engañado y el engañador" (versión libre de Job 12: 16). El Señor nos dio este versículo durante una ministración para identificar un profundo problema en el señor P. Por más de 20 años se había autoengañado en creer que estaba al borde de una gran revelación respecto a la Trinidad. Consideraba que esta revelación asombraría a todo el mundo cristiano. Nos demostró cómo creía que iba a venir la revelación. Cuidadosamente dobló una hoja de papel en varios pliegues y fue rompiendo varios pedacitos. A medida que cada pedacito de papel se desdoblaba lo veía como un símbolo o una letra. Creía que un día iba a ser capaz de deshacer e interpretar los símbolos inspirados por el Espíritu que revelarían de una vez por todas el misterio de la divinidad. *El autoengaño, el autoerror y el orgullo* (los espíritus compañeros) le convencieron que él, un desconocido, vendría a ser renombrado mundialmente.

Todo su problema se había originado en el rechazo. Su padre, un ministro, le había rechazado en la niñez. En sus intentos por recibir la aprobación y el amor de su padre, abrió puerta a los espíritus del engaño quienes le convencieron que no solamente vendría a ser famoso, sino que esta fama llegaría por medio de una revelación espiritual que ganaría la admiración de su propio padre.

Renunciar al engaño no fue fácil para el señor P. El tenía gran temor de estarle fallando a Dios. En tales casos de *autoengaño* la persona se debe confrontar con el error y debe renunciar a la ilusión. Cuando una persona deja de estar de acuerdo con las mentiras de los demonios puede mantener su liberación.

Perfección

Hay un lugar para la organización, para el orden, y

para un trabajo bien hecho. *El demonio de la perfección* hace una atadura de todos estos atributos. Por ejemplo, una persona ha planeado su día. Ha decidido lo que hará y cómo todo se ajustará a un esquema determinado. Se ata a sí mismo a ese esquema y no deja sitio para la variación. Es un plan perfecto. Está orgulloso de ser capaz de planear y de cumplir así de bien. Luego algo o alguien interfiere con ese plan y viene la irritación. Ahora no puede realizar su esquema y no se puede ajustar a la interrupción. La frustración aparece y la ira se levanta contra la persona o la cosa que ha interrumpido el plan. De esta manera todo un juego de demonios se pone en movimiento. El conflicto es tanto interior como exterior.

El rechazo con frecuencia está detrás de la perfección. La persona rechazada lucha por la perfección en un esfuerzo por ganar respeto y aceptación. En otras ocasiones la perfección es un mecanismo para compensar la inferioridad.

Falsa carga

El demonio goza al agotar a los santos. El demonio, al contrario de Dios, echará sobre los hijos de Dios más de lo que pueden soportar. Jesús declaró que su yugo es fácil y que su carga es ligera. Una falsa carga es muy pesada de llevar y usualmente es autoimpuesta. *Inclusive una carga piadosa por las almas puede tener origen satánico.* Así como Dios tiene un tiempo y un camino, también tiene un propósito. Cuando el Espíritu Santo fluye quita todo peso y controla todo. Muchos creyentes necesitan ser liberados de las falsas cargas, de las falsas responsabilidades, y de las falsas compasiones que no son de Dios.

Error religioso

El error religioso es una designación muy amplia que abarca las falsas religiones, las sectas cristianas, las prácticas del ocultismo y las doctrinas falsas. El compromiso con cualquiera de esas fuentes de error puede abrir la puerta para los espíritus del mal. La asociación o el contacto no necesariamente deben ser muy profundos.

Todo cristiano que se haya comprometido con cualquier clase de error religioso debe renunciar a él. En casi todos los casos es necesaria una liberación para dejarle libre de las opresiones. Se ha demostrado que estos demonios de error religioso causan confusión mental, atadura del alma, opacamiento de la comprensión, miedos, dolores físicos, depresiones, enfermedades físicas, falso orgullo, falta de enseñabilidad, resistencia a la verdad bíblica y obstáculos espirituales por ejemplo, para la oración, para la lectura de la Biblia, para escuchar los sermones y mensajes, para recibir los dones del Espíritu, para la fe, etc.

CAPITULO 21

Esquizofrenia

La esquizofrenia es un problema muy común. Algunas autoridades en el campo de las enfermedades mentales calculan que puede haber algo así como cincuenta millones de esquizofrénicos en los Estados Unidos. Es decir, una de cada ocho personas. Los esquizofrénicos constituyen más o menos la mitad de la población en los hospitales psiquiátricos de los Estados Unidos. Desde luego hay grados variables de esquizofrenia. Algunos casos son graves y otros son bastante leves. Muchos esquizofrénicos nunca han sido tratados profesionalmente. La esquizofrenia es un problema muy frustrante para los profesionales de la salud mental. Su causa y su cura han permanecido ocultas en la incertidumbre.

La perturbación y desintegración de la personalidad que se conoce como esquizofrenia o demencia precoz, se encuentra con mucha frecuencia en el ministerio de la liberación. Puedo calcular que algo así como una cuarta parte de quienes vienen a nosotros en búsqueda de liberación tienen un cuadro de esquizofrenia. El Señor, en una forma muy misericordiosa, nos ha dado una revelación muy especial sobre el problema que nos capacita para tratar con tales casos de manera muy efectiva. Como la revelación la recibió mi esposa Ida Mae le he pedido a ella escribir el resto de este capítulo.

La revelación sobre la esquizofrenia
Por: Ida Mae Hammond

Trabajamos muy intensamente en la liberación de una persona que no mostraba mucha mejoría después de repetidas ministraciones. Esta persona estaba muy ansiosa y de-

seaba la liberación. Como amaba mucho al Señor, creía
con todo su corazón que la liberación era la respuesta a sus
problemas y clamaba al Señor en grande necesidad. Era
muy cooperadora con el ministerio, pero los resultados finales eran muy descorazonadores.

Después de un tiempo sentimos que estábamos alcanzando la victoria. Durante unos pocos días su personalidad
daba signos de estar estable y luego repentinamente todo
entraba en un cataclismo y debíamos otra vez retroceder,
donde habíamos comenzado.

Entonces, una noche, después de un cataclismo impresionante violento, me desperté del sueño. El Señor hablaba a mi espíritu y me dijo, "Quiero darte una revelación
sobre cuál es el problema de Sara. El problema es la *esquizofrenia*". Ahora bien, yo no era muy conocedora del tema. En la universidad había estudiado algo de psicología,
lo suficiente como para estar familiarizada con ciertos términos generales como manía depresiva, esquizofrenia, paranoia, psicosis y neurosis. Busqué en mi memoria y logré
recordar que a la esquizofrenia a veces se le refiere como
una "personalidad dividida". Luego el Señor me dio esta
definición: "La esquizofrenia es una perturbación, una distorsión o desintegración en el desarrollo de la personalidad.
Ya no la llamarás más Sara sino la llamarás 'Sara uno' y
'Sara dos', porque tiene más de una personalidad dentro de
sí".

Aún estaba en la cama, aún estaban mis ojos cargados
de sueño, pero el Señor siguió dándome la revelación. Me
ordenó colocar las manos juntas, con las palmas enfrenta-
das y los dedos firmemente entrelazados. Me dijo que esto
representaba la naturaleza esquizofrénica. Cada mano representaba una de las dobles personalidades dentro del esquizofrénico, pero ninguna de ellas era el yo real. El Señor
me dijo, "Tus manos representan el nido de los espíritus
demoníacos que constituyen la esquizofrenia. Quiero que
sepas que eso es completamente demoníaco. Es un nido de
espíritus diabólicos que han entrado en la vida de la persona cuando era muy, muy joven. Ahora te mostraré cómo
obran".

Luego, el Señor me hizo separar las manos **muy lentamente**. A medida que mis dedos se desenlazaban muy des-

pacio, el Señor me mostró que esos espíritus satánicos en el esquizofrénico, también se deben separar, expulsar y derrotar. El proceso necesita tiempo. Para la persona es un choque descubrir que mucho de su personalidad no es el yo real. Se puede descontrolar cuando sepa cómo es su verdadera personalidad. Necesita tiempo para acomodarse y para no seguir en concordancia con las falsas personalidades demoníacas que se van conociendo. Debe llegar a aborrecer la personalidad esquizofrénica y debe estar en completo desacuerdo con ella. El Señor me trajo a la memoria Amós 3:3,

"¿Andarán dos juntos, si no estuvieren de acuerdo?"

Uno a uno mis dedos se soltaron para ilustrar la separación de las personalidades demoníacas (más tarde cada dedo recibió el nombre de un espíritu). Los dos últimos dedos en separarse fueron los dedos de la mitad de cada mano. El Señor me mostró que estos dedos representan el núcleo del esquizofrénico: *Rechazo y Rebeldía.* Cuando finalmente se separen, la persona se puede considerar curada, liberada, y con conocimiento de cuál es su yo verdadero.

El espíritu control se llama "esquizofrenia", o "doble ánimo (mente)". La Biblia dice:

"El hombre de doble ánimo es inconstante en todos sus caminos" (Santiago 1:8).

Esta es la definición escritural de un esquizofrénico. La traducción ampliada podría decir algo así:

"Porque siendo como es, un hombre de dos mentes, vacilante, dudoso, irresoluto, es inestable y no se puede confiar en él, porque es inseguro en todo, en lo que hace, piensa, siente y decide".

La frase que se traduce "de doble ánimo o de dos mentes" viene de una voz griega compuesta que significa literalmente dos almas.

La siguiente etapa en la revelación llegó unas pocas semanas después. El Señor me ordenó dibujar el contorno de mis manos sobre el papel; luego fue nombrando los dedos como diversos espíritus y me mostró cómo cada demonio se instala en el esquizofrénico. El demonio control de la esquizofrenia invita otros demonios a entrar para producir la distorsión de la personalidad. La esquizofrenia **siempre** comienza con "rechazo". Comúnmente se inicia en la niñez o en la infancia, y a veces mientras el niño aún está en el vientre de la madre. Hay muchas causas para el rechazo. Quizás el niño no fue deseado. Puede haber tenido el sexo que no deseaba uno o ambos padres. Las condiciones en el hogar pueden haber sido inseguras. En fin, hay muchas puertas que llevan al rechazo.

La esquizofrenia se puede heredar demoníacamente. Nótese que he escrito "demoníacamente". Con esto quiero decir que no está en el sistema sanguíneo, ni en los genes; ¡está en los demonios! En otras palabras, los demonios buscan perpetuar su linaje y es más fácil para ellos hacerlo dentro de una familia. Por ejemplo, suponga usted que la naturaleza esquizofrénica está en la madre. Los demonios elegirán a uno o más de sus hijos para alimentar ese espíritu de esquizofrenia dentro de ellos. La madre esquizofrénica siente rechazo. Ella es la responsable principal de suministrar amor a la familia. Es la que acaricia, la que maneja, la que consiente al bebé. El demonio de rechazo dentro de ella crea problemas en sus relaciones con el hijo. Así, el niño queda abierto al rechazo por la inestabilidad de la madre. Repito, la esquizofrenia **siempre** comienza con el rechazo.

Ahora bien, uno puede tener un espíritu de rechazo y no ser esquizofrénico. En otras palabras, todo depende de la manera como se forma la personalidad. Usted puede tener un espíritu de rechazo y sin embargo manejar su personalidad de tal modo que está seguro de sí mismo. Por el contrario, el esquizofrénico siempre anda preguntándose, "¿Quién soy?" La identidad del verdadero yo se pierde o se confunde.

El *rechazo* (como aparece en la mano izquierda de la ilustración) es el demonio que controla una de las personalidades que están dentro del esquizofrénico. El rechazo muestra un tipo de personalidad de retirada. Es un sentimiento interior, es una agonía interna, es un morir de hambre de amor, es inseguridad, es inferioridad, es fantasía, es irrealidad, y todo está en el interior. "No comparto esto con nadie ni a nadie". En una personalidad así, se instalan los demonios.

La segunda personalidad puesta por los demonios es la rebeldía (véase el dedo medio en la mano derecha de la ilustración). Cuando un niño no tiene una relación amorosa satisfactoria en su vida, entonces crece incapaz de sentir y de compartir sus relaciones en amor. La rebeldía se instala y mientras comienza a luchar por amor, maltrata y satiriza a quienes le han dejado morir de hambre y no le han ofrecido amor. La rebeldía se afirma en terquedad, en obstinación, en egoísmo. Aquí hay otra personalidad. Esta personalidad no es introvertida y no está en retirada. Es una personalidad agresiva que embiste en ira, en amargura, en resentimiento, en odio, y en venganza. El esquizofrénico literalmente está bajo estos dos poderes opuestos. Puede saltar de un tipo de personalidad al otro en un instante.

El Señor me mostró que debía referirme a la persona esquizofrénica como "Sara uno" y "Sara dos"; la "Sara uno" era la persona real y la "Sara dos" la personalidad esquizofrénica que tenía dos aspectos. Por tanto, realmente se trataba de tres personalidades: la personalidad verdadera, la personalidad de rechazo, y la personalidad de rebeldía. En treinta minutos era posible ver todas estas personalidades en acción. Naturalmente, esto trae mucha confusión tanto a la persona misma como a quienes la rodean. La persona real no es ninguna de las "manos". El "yo real" se muestra en la parte baja de la ilustración, entre los brazos. Los demonios no han permitido que el yo real se desarrolle. El esquizofrénico no conoce su yo real. Cuando el esquizofrénico comienza a ser liberado, el yo real debe tener a Jesucristo. Jesús debe comenzar a crecer en la persona, a desarrollar esa personalidad y a hacerla como él quiere que sea. De ahí por qué la liberación del esquizofrénico requiere tiempo, a veces varios meses, e inclusive un año o más. La liberación debe trabajar en equilibrio con el desarrollo del "yo real". No se puede apresurar, porque la persona no tiene nada que la sostenga como apoyo. Si en el esquizofrénico se expulsaran repentinamente todos los espíritus, se sentiría perdido por completo. La identidad con el "yo real" requiere tiempo. A medida que se agota la naturaleza esquizofrénica, la naturaleza verdadera debe salir para reemplazarla.

Permítanme ilustrar lo que puede suceder cuando un esquizofrénico está en el proceso de la liberación. Debe aprender a someterse a la autoridad y se enfrenta con una prueba. Hay una situación donde se requiere que sea sumiso. Pero no es su hábito ser sumiso. Entonces, ¿qué va a hacer? ¿Caerá en el rechazo? ¿Se irá a su habitación? ¿Se cubrirá el rostro? ¿Rehusará hablar a todos? ¿Caerá en rebeldía? ¿Expresará su ira? ¿Se hará desafiante? ¿Se mostrará obstinado? ¿O permitirá a la naturaleza de Jesús salir adelante? ¿Cooperará al ceder a la autoridad y hacerse sumiso? La decisión es suya. Debe ejercitar su voluntad para no seguir en acuerdo con los demonios y debe romper todos los hábitos viejos. El "yo real" debe haberse fortalecido suficientemente en Cristo como para soportar la decisión correcta.

En la ilustración se ve un remolino en la parte superior entre las dos manos. Esto representa un "huracán". La persona esquizofrénica continuamente crea "tormentas" a su alrededor. Es atrapada en esa tormenta y otros se afectan con lo que sucede. Note que algunas de las flechas también llevan "huracanes" o torbellinos. Si la persona con quien procura relacionarse también es inestable, pone en contacto su tormenta con la del esquizofrénico. Entonces puede haber una tormenta dentro de una tormenta. Otras flechas son rectas. Esto se refiere a personas que son estables y se pueden relacionar con el "huracán" en una forma estable. Tal persona puede enfrentar la tormenta sin recibir daño o sin salir perjudicado. El remolino no lo atrapa. El ministro de liberación debe ser capaz de entrar como una flecha recta.

Estos momentos de tormenta hacen que la raíz de amargura se forme (véase la mano derecha) y que se introduzca cada vez más profundamente.

Ahora, miremos qué representan los otros dedos de la mano. El anular se designa *lujuria*. El Señor me mostró que este demonio "desposa a una persona con el mundo por amor. La lujuria tiene su raíz en el rechazo. Si no se ha recibido amor satisfactoriamente a través de los canales normales de la vida, la naturaleza carnal comenzará a buscar su clase de amor, el amor sensual. De esta manera se abre la puerta para que entre el espíritu de lujuria. Un espíritu compañero en este grupo es la fantasía lujuriosa, es decir, la concupiscencia fantástica que hace que muchas personas se imaginen que son como los grandes amantes del mundo del cine o que experimenten fantasías sexuales como preludio a los actos abiertos. El espíritu de *prostitución* en las mujeres puede manifestarse inicialmente en el vestido y en la provocatividad. Las perversiones sexuales representan los esfuerzos e intentos extremos para vencer el rechazo. Las experiencias sexuales, reales o imaginarias, nunca pueden satisfacer la necesidad de un amor genuino. Son sustitutos del diablo en cambio de un amor real y dejan a una persona rendida y atada con frustración y culpa.

El dedo meñique de la mano izquierda representa la *inseguridad* y la *inferioridad*. Estas no son sino otras manifestaciones del rechazo. La persona que tiene un profundo sentimiento de rechazo se siente insegura y se siente inferior.

El dedo índice de la mano izquierda es la *autoacusación*. Este demonio hace que una persona se vuelva contra sí misma y desgarre su sentido de dignidad personal. En la mayoría de los casos hemos encontrado la "autoacusación" asociada con la "compulsión a confesar". Por ejemplo, si la persona cae en la inmoralidad, no puede descansar sino hasta cuando confiesa sus maldades. Usualmente confiesa a quienes deberían mostrarle el máximo amor. Es llevado a hacer esto en un esfuerzo por impresionar a los demás para que le den entonces una atención forzada y por tanto encontrar algo así como un sustituto del amor.

Ahora, pasemos a la mano derecha de la ilustración. El dedo medio en la figura se llama *rebeldía*. Hemos visto que la *rebeldía* identifica una de las falsas personalidades instaladas por los demonios. Este grupo de demonios se puede considerar como espíritus compensadores del "rechazo". La rebeldía es lo opuesto al rechazo. La primera es expresiva y turbulenta, el segundo es recogido e inseguro.

El dedo anular en la mano derecha representa la *obstinación* o voluntariedad. Este demonio "compromete" a una persona con los deseos egoístas. Esto abre el camino a la *terquedad*, el *egoísmo* y la *inenseñabilidad*. De nuevo vemos que esto es una compensación para el rechazo. Co-

mo la persona ha sido rechazada o teme al rechazo, es diri-
gida a consentirse, a mimarse. Así, por tanto, trata de vencer los sentimientos de rechazo.

El dedo índice se llama *acusación*. También es un demonio compensador, que procura hacer que no se conside-
re el rechazo. Busca eliminar la atención sobre uno mismo
y la dirige hacia otros. El índice izquierdo señala al yo "yo
soy culpable" mientras el índice derecho señala a los demás "tú eres el culpable". De esta manera el demonio de la
acusación abre la puerta para los espíritus compañeros de
enjuiciamiento.

El dedo meñique de la mano derecha es el *autoengaño*. Sus compañeros son las *ilusiones*, la *autoseducción* y el
orgullo. Estos tres espíritus del "ego" autoinflan el orgullo.
El orgullo es otro mecanismo compensatorio para el rechazo. Quien se siente rechazado quiere sentirse importante.
El *espíritu de la ilusión* viene y le dice: "Tú eres realmente
alguien"; "eres un gigante espiritual" o alguna otra clase de
gigante. El ego que ha sido herido parece que recibe un em-
pujón hacia arriba. Pero todo esto es demoníaco y sólo lleva a una mayor frustración y a un mayor descorazona-
miento.

En un caso el *espíritu de autoengaño* había convencido a una niñita de trece años que tenía diez y nueve. Tomó
otro nombre para ir contra su personalidad. Intentaba pensar, hablar y actuar como una muchacha mayor. Fue em-
pujada más allá de sus capacidades y de su madurez normal, lo cual aumentó grandemente su opresión.

Por medio de la revelación el Señor me mostró cómo
los pulgares representan la fase "paranoide" de la esquizofrenia. Parte de esa fase se representa en el pulgar izquierdo porque tiene sus raíces en el rechazo. En el lado
del rechazo están los espíritus de *celos* y de *envidia*. Quienes tienen una deficiencia en las relaciones de amor recí-
proco se vuelven celosos y envidian a quienes experimentan un amor satisfactorio. En el lado de la rebeldía están
los espíritus de *desconfianza*, *sospecha*, *miedos*, *y perse-
cusión*. Hay otro demonio en este último grupo que se llama *"confrontación con honestidad a toda costa"*. La sospecha y la desconfianza crecen en el individuo hasta cuando se ve obligado a confrontar a la otra persona. Después

de la confrontación las presiones disminuyen dentro de él durante un tiempo. Pero deja a la persona atacada que maneje sus heridas. La persona que actúa bajo la influencia de los *demonios paranoides* es bastante insensible en lo que respecta a las muchas heridas que causa, pero es supersensible a toda ofensa hacia sí misma.

La revelación que aparece en los dedos y pulgares ha demostrado que es infalible, de acuerdo con las numerosas ministraciones en esquizofrénicos. No tiene imperfecciones ni grietas.

Los demonios cuya lista aparece en la parte inferior de la mano izquierda son representativos de otros espíritus que comúnmente se encuentran dentro del lado del rechazo en el cuadro de la esquizofrenia. Habrá algunas variaciones de persona a persona. La lista es más bien sugerente en lugar de ser exhaustiva. Es obvio que en muchas ocasiones los demonios que aparecen en la mano izquierda, de alguna forma se asocian con la tríada de espíritus del tipo rechazo: *rechazo*, *miedo al rechazo* y *autorrechazo*.

La lista de los demonios en la mano derecha incluye el *control* y la *posesión* que se relacionan directamente con la rebeldía.

"Porque como pecado de adivinación es la rebelión y como ídolos e idolatría la obstinación" (1 Samuel 15:23a).

Este versículo se puede considerar de dos maneras. En primer lugar lo interpreto con el significado que para Dios la rebeldía es tan abominable como la hechicería misma. También lo interpreto para significar que quien tiene una naturaleza rebelde tiene una naturaleza de brujo. El propósito de la brujería es controlar. Es el control de otra persona por el empleo, a sabiendas o sin saber, del poder que tienen los espíritus del mal. La rebelión a menudo conduce al control.

Ahora continuemos hacia abajo con la mano derecha. Hay una *"raíz de amargura"*. En toda vida siempre hay conflictos. Hay cosas que suceden y palabras que se dicen y requieren una actitud de perdón. Aquí reside el problema con el esquizofrénico. Es incapaz de perdonar. Tiene un *"espíritu no perdonador"*. Las cosas que sucedieron hace treinta años están tan vivas como si hubieran sucedido hace un minuto. La raíz de amargura se mantiene viva y de ella salen *resentimiento*, *odio*, *ira*, *desquite*, *venganza*, *rencor*, *violencia*, *homicidio*. Puede haber muchos más demonios adheridos a tales raíces de amargura.

Entonces, ¿cómo hace el esquizofrénico para salir de toda esta mescolanza? Las tres áreas principales que se deben conquistar son: **rechazo, rebeldía** y la **raíz de amargura**. A medida que estas áreas son conquistadas la *"casa"*, es decir la vida, se debe llenar por dar y recibir amor, por someterse a toda autoridad válida, y por perdonar a todas las personas, sin tener en cuenta las circunstancias. Cuando se conquistan estas tres áreas, los otros espíritus relacionados pierden su fortaleza. Hay necesidad de una gran decisión. La persona que puede decir con toda persistencia, "Voy a ser distinto. No dejaré que los demonios gobiernen mi vida", finalmente verá la victoria.

En la parte inferior de la ilustración, entre las manos, hay una figurita que corresponde al "yo real". A medida que el proceso de liberación tiene lugar, después de un período de tiempo el "yo real" debe irse hacia arriba, como lo ilustran las flechas, y apartarse de las personalidades esquizofrénicas falsas al dejar de estar de acuerdo con todas sus influencias y todo lo que representan. El "yo real" se debe constituir y tomar la naturaleza del mismo Señor Jesús. Los ejercicios espirituales como el estudio de la Biblia, la oración, el ayuno, la alabanza y el compañerismo con otros creyentes constituyen una parte esencial en el éxito de una liberación. Estos ejercicios del espíritu también van a acelerar el proceso de liberación, a medida que la vida de la persona se llena con las cosas positivas de nuestro Señor Jesucristo.

Este ha sido un trabajo sumamente duro, tanto para el paciente esquizofrénico como para el ministro que hace la liberación. Admiro muchísimo a los esquizofrénicos que luchan de manera continua hasta llegar a la victoria y admiro estas victorias por encima de todas las otras liberaciones. La liberación de la esquizofrenia es la más profunda, la que exige más compromiso, la más definida y la más difícil de todas las liberaciones que hemos podido encontrar.

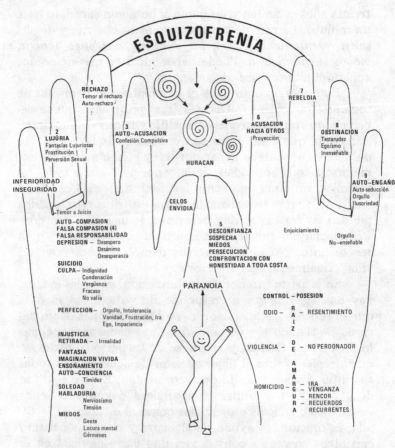

ESQUIZOFRENIA

1 RECHAZO
Temor al rechazo
Auto-rechazo

7 REBELDIA

2 LUJURIA
Fantasías Lujuriosas
Prostitución
Perversión Sexual

3 AUTO–ACUSACION
Confesión Compulsiva

6 ACUSACION HACIA OTROS
Proyección

8 OBSTINACION
Testarudez
Egoísmo
Inenseñable

HURACAN

INFERIORIDAD
INSEGURIDAD

9 AUTO–ENGAÑO
Auto-seducción
Orgullo
Ilusoriedad

CELOS ENVIDIA

–Temor a Juicio

AUTO–COMPASION
FALSA COMPASION (4)
FALSA RESPONSABILIDAD
DEPRESION — Desespero
Desánimo
Desesperanza

5 DESCONFIANZA
SOSPECHA
MIEDOS
PERSECUCION
CONFRONTACION CON
HONESTIDAD A TODA COSTA

Enjuiciamiento

Orgullo
No–enseñable

SUICIDIO
CULPA— Indignidad
Condenación
Vergüenza
Fracaso
No valía

PARANOIA

CONTROL – POSESION

PERFECCION— Orgullo, Intolerancia
Vanidad, Frustración, Ira
Ego, Impaciencia

ODIO — R A I Z — RESENTIMIENTO

INJUSTICIA
RETIRADA — Irrealidad
FANTASIA
IMAGINACION VIVIDA
ENSOÑAMIENTO
AUTO–CONCIENCIA
Timidez
SOLEDAD
HABLADURIA
Nerviosísmo
Tensión
MIEDOS
Gente
Locura mental
Gérmenes

VIOLENCIA — D E A M A R G U R A — NO PERDONADOR

HOMICIDIO — IRA
VENGANZA
RENCOR
RECUERDOS
RECURRENTES

HACIA ADENTRO   **PERSONALIDAD REAL**   **HACIA AFUERA**

1. Impide recibir y dar amor, tanto de (a) Dios, como del (al) hombre.
2. Compromete con el mundo por amor.
3. Hace que se diga todo para llamar la atención, el castigo y la corrección.
4. Incluye un afecto desordenado hacia los animales.
5. Busca pruebas para alimentar la sospecha.
6. Evita que se mire uno mismo.
7. Desobediencia y antisometimiento.

8. Hace compromiso con deseos egoístas tanto mental como espiritual.
9. Seducción: Tentación, extravío; trampa.
   Engaño: Una guía equivocada de la mente; falsa creencia; un concepto errado fijo (como apegarse a una ilusión).
   En psiquiatría: una creencia falsa con respecto al yo, común en la paranoia.

CAPITULO 22

Enfrentando Problemas
y Preguntas

Hay algunas cosas sobre los demonios y la liberación en las que no es muy sabio ser dogmático. También hay algunas preguntas para las cuales no se pueden encontrar respuestas completas. Hay diferencias honestas de opinión entre personas que son autoridades reconocidas en este campo. En lugar de ignorar por entero estos problemas y preguntas mencionaré varios que son muy notorios a mi propio pensamiento y haré algunos comentarios.

1. ¿Somos menos efectivos que Jesús?

Se puede sostener, y lo creo correctamente así, que el Nuevo Testamento demuestra que Jesús liberó a quienes tenían espíritus demoníacos con una autoridad mayor y una prontitud más grande que las que se ven hoy. No retrocedamos de este ministerio porque no lo hagamos de manera perfecta, ni esperemos hasta cuando podamos seguir exactamente el ejemplo del Señor. Eso sería como la persona que sin saber nadar, decide no entrar al agua sino hasta cuando lo pueda hacer como un campeón olímpico.

He visto lo que creo que podría ser un error serio en esta área. Cuando los resultados no son inmediatos, algunos declaran con mucha suficiencia y mucho conocimiento que todo es cuestión de fe. En consecuencia, hacen como una práctica de rutina ordenar a todos los demonios que salgan de una persona y descansan *"en fe"* que esto ya se cumplió. Pero la suposición no es fe. Cuando una persona no es liberada como consecuencia de esto que se llama "fe", entonces se debe admitir que algo salió mal.

Algunos que se supone fueron liberados de esa manera, vinieron a buscar ayuda. Sufrían de engaños, de desilusiones y de frustración. Se les había dicho que quedaron libres pero nada había cambiado. En realidad, ¿el ministro de liberación fue suficientemente honesto? ¿Se tomó todo el tiempo necesario para ver una ministración efectiva? ¿Buscó un cortocircuito en lo referente a eficacia? ¿Cómo podemos juzgar?

Otro ministro y yo discutíamos esta espinosa cuestión. Mientras conversábamos el Espíritu Santo habló a mi corazón y dijo que la iglesia al final llegaría a tener un poder mayor en liberación. El Espíritu dijo que él me podría proporcionar un avance de lo que iba a ser eso. La esposa del otro ministro estaba en la habitación con nosotros y había solicitado una liberación. El Espíritu me guió para ordenar a los demonios que perturbaban a salir de ella. Ninguno de nosotros se movió de su silla. Señalé con mi dedo a través de la habitación y ordené a los demonios salir de ella. Hubo más o menos un minuto de silencio y luego explotó en tos. Cuando se dio cuenta que había sido liberada, se puso de pie y levantó sus manos en alabanza a Dios. Luego inmediatamente cayó al piso bajo el poder de la unción que estaba sobre ella.

No estoy muy satisfecho con la unción que he visto o experimentado en el ministerio de otros pastores. Creo que Dios puede darnos días mejores. Sin embargo, definitivamente he tenido algún crecimiento en autoridad. Donde antes había batallas espirituales que necesitaban horas, ahora solamente bastan minutos. Los demonios en una forma definida reconocen el aumento de la autoridad y responden con más rapidez y con demostraciones más escasas y menos prolongadas. En unos pocos ejemplos, los demonios dentro de personas que están en la misma habitación con nosotros, han gritado al reconocer simplemente que éramos un peligro y una amenaza para ellos. Esto parece ser paralelo con la experiencia del Señor Jesucristo cuando entró en la sinagoga y un espíritu inmundo en un hombre gritó (véase Marcos 1: 23-26). Procuremos permanecer sensibles a las enseñanzas del Espíritu Santo. Indudablemente el problema reside en el hombre y no en Dios.

2. ¿Cómo puede un cristiano tener demonios?

¿Cómo puede un espíritu demoníaco habitar el mismo cuerpo, al mismo tiempo que lo hace el Espíritu Santo? Parece lógico presumir que esto no es posible, pero todas las cosas lógicas no siempre son ciertas, y algunas veces la lógica se basa en premisas falsas.

En este escrito hemos tomado la posición que los cristianos pueden ser y de hecho son habitados por demonios. La explicación de cómo esto es posible se basa primeramente, hasta donde he podido determinar, en una comprensión clara de la diferencia entre alma y espíritu. La palabra del Nuevo Testamento para *"espíritu"* es *"pneuma"*. Al contrario de lo natural, psíquico o anímico, el espíritu es aquella parte del hombre que tiene la capacidad de aprehender y percibir las cosas de Dios.

> "Pero el hombre natural no percibe las cosas que son del Espíritu de Dios, porque para él son locura, y no las puede entender, porque se han de discernir espiritualmente"
> (1 Corintios 2:14).

La palabra griega para *"alma"* es *"psyche"*. Este término define la vida del yo, las *emociones*, el *intelecto* y la *voluntad*. Pablo muestra que el hombre es un ser triple o tripartita.

> "Y el mismo Dios de paz os santifique por completo; y todo vuestro ser, espíritu, alma y cuerpo, sea guardado irreprensible para la venida de nuestro Señor Jesucristo"
> (1 Tesalonicenses 5:23).

Pablo enseña también que antes de la salvación el hombre está muerto en sus delitos y pecados (Efesios 2:1). El hombre no es que esté muerto físicamente, pues su corazón aún late; pero está muerto espiritualmente, es decir, no tiene comunicación con Dios y no comprende ni puede percibir los misterios divinos. El nuevo nacimiento (salvación) renueva la condición del Espíritu en los hombres. Su espíritu es avivado, es decir, es hecho vivo, por la presencia de Dios que entra. Jesús llega al espíritu del hombre y coloca en él su vida.

> "Y este es el testimonio: que Dios nos ha dado vida eterna; y esta vida está en su Hijo. El que tiene al Hijo, tiene la vida; el que no tiene al Hijo de Dios no tiene la vida" (1 Juan 5:11-12).

De esto vemos que el Espíritu Santo habita el espíritu humano en el momento de la salvación. Los espíritus demoníacos quedan confinados al alma y al cuerpo del creyente. Los demonios atacan las emociones, la voluntad, la mente, y el cuerpo físico, pero no el espíritu de un cristiano.

El objeto de una liberación es sacar los demonios invasores del alma y del cuerpo para que Jesús también pueda reinar sobre estas áreas. Jesús ha hecho una provisión adecuada para el hombre total, pero parte de la responsabilidad ahora descansa en nosotros, como nos muestra la siguiente Escritura:

> "Ocupaos en vuestra salvación con temor y temblor, porque Dios es el que en vosotros produce así el querer como el hacer, por su buena voluntad" (Filipenses 2:12b-13).

Esto nos dice que Dios está trabajando en nosotros, pero la salvación de que se habla no está completa. Necesita ser trabajada, es decir, ocuparse de la salvación con temor y temblor. El término para "salvación" en este pasaje es *soteria*. El lexicón de Thayers trae como significado primario de esta palabra "liberación de los espíritus que molestan". El cuadro así se hace muy claro. Cristo ha liberado nuestro espíritu del poder de Satanás; ahora nos dice, "Ocúpate de tu propia liberación, de la molestia de los enemigos, hasta cuando obtengas la liberación completa y quedes libre de alma y de cuerpo".

3. ¿Puede un no cristiano ser liberado?

La respuesta obvia a esta pregunta es sí. Los demonios deben obedecer a quienes ejercen la autoridad en el nombre de Jesús. Nunca he ministrado la liberación en favor de un incrédulo, pero no dudo que los demonios responderían y obedecerían. Sin embargo, tengo dudas acerca de qué tan sabia sea tal liberación por dos razones. Primera, ¿qué esperanza habría de mantener esos demonios fuera? ¿No volverían pronto? Uno debe personalmente resistir al diablo, y el inconverso no tiene terreno para hacerlo, a menos que se someta al Señor. El pecado abre la puerta para que los demonios entren y un pecador no creyente que no se ha arrepentido de sus pecados es una presa abierta para el demonio. Segunda, de acuerdo con la Escritura, se le puede hacer más daño que beneficio. Según Mateo 12: 43-45, cuando un espíritu inmundo es expulsado, busca volver. Si nada de Dios reemplaza el sitio vacío, entonces el espíritu inmundo puede regresar y traer consigo otros espíritus aun más perversos que él de manera que "el último estado de ese hombre es peor que el primero".

No veo razones para ministrar la liberación a un incrédulo, a un inconverso, a no ser que sea una orden directa del Señor. Solamente Dios sabe el futuro y si ese hombre aceptará a Jesús como su Salvador. Además, ¿qué motivación podría tener un inconverso para querer la liberación? Hasta cuando permanezca en su incredulidad, su motivo no sería para la gloria del Señor. Su motivo sería completamente egoísta. La liberación no es un juego. Es una cosa supremamente seria. Es para quienes saben lo que significa tratar con Dios. La pregunta, entonces no es: ¿puede un no cristiano ser liberado? sino, ¿debería ser liberado? Normalmente su espíritu debería ser liberado primero y esto se hace por el nuevo nacimiento.

4. ¿Qué sucede a los demonios que son expulsados?

La Biblia no abunda mucho sobre este tema. Nuestra referencia principal se encuentra en Mateo 12:43 donde se lee:

> "Cuando el espíritu inmundo sale del hombre, anda por lugares secos, buscando reposo, y no lo halla".

Nuestro problema está en saber cuán literalmente se debe interpretar este versículo. Como los demonios son seres espirituales qué tanto se afectarían por un desierto literal o por una región desierta. Quizás se pretende que las palabras sean figuradas. Así se pinta a los demonios como si caminaran o pasearan en un lugar aparte y distinto de su habitación humana. Los demonios están intranquilos y descontentos fuera del cuerpo humano porque sólo cuando habitan y controlan la vida humana pueden perpetrar sus propósitos perversos.

Hay un pasaje muy interesante en el libro de Job que es muy descriptivo sobre quienes andan en lugares secos. Como el libro de Job trata de un hombre que estuvo bajo el ataque de Satanás, la descripción es mucho más llena de

significado. En el curso de varias liberaciones he usado esta
porción contra los demonios. Les recuerdo que deben salir
e ir a lugares secos. Los demonios definitivamente son
atormentados al escuchar la lectura de este pasaje. Parecen
comprender mejor que nosotros lo que allí se describe. El
lector debería examinar todo el capítulo 30 de Job, del
cual vamos a citar unos pocos versículos:

> "Por causa de la pobreza y del hambre andaban solos; huían
> a la soledad, a lugar tenebroso, asolado y desierto. Recogían
> malvas entre los arbustos, y raíces de enebro para calentarse.
> Eran arrojados de entre las gentes, y todos les daban grita
> como tras el ladrón. Habitaban en las barrancas de los arro-
> yos, en las cavernas de la tierra, y en las rocas. Bramaban
> entre las matas, y se reunían debajo de los espinos. Hijos de
> viles, y hombres sin nombre, más bajos que la misma tie-
> rra" (Job 30: 3-8).

5. ¿Podemos decir a los demonios a dónde ir?

Esta pregunta se relaciona con la anterior. Fuera de
decirnos que los demonios expulsados "caminan por lugares secos" no hay ninguna referencia sobre lo que les sucede a ellos. Nunca se ha informado que Jesús o los discípulos siquiera impusiesen el más leve juicio sobre los demonios enviándolos al infierno, al abismo, o a cualquier sitio
semejante. Los demonios evidentemente comprenden que
su juicio final, todavía es futuro. Ellos lo indicaron así
cuando hablaron por medio del endemoniado gadareno:

> ". . . ¿Qué tienes con nosotros, Jesús, Hijo de Dios? ¿Has
> venido acá para atormentarnos antes de tiempo?" (Mateo
> 8: 29).

La escritura no nos autoriza a imponer un tormento
prematuro a los demonios. Ese tiempo ya está fijado por
el designio de Dios.

¿Entonces, podemos enviarles a otro sitio o a otra localidad? El demonio que se identificó a sí mismo como
"Legión" le rogó a Jesús que no lo mandara a otro lugar:

> "(Legión) . . . le rogaba mucho que no los enviase fuera de
> aquella región" (Marcos 5:10).

De esto parece que los demonios pueden ser enviados

a otras partes del mundo. ¿Debería hacerse esto en cada ocasión o sólo en algunas? Ha habido momentos en que el Espíritu Santo me ha dirigido a ordenar a los demonios que se fueran a países específicos del mundo. En tales oportunidades he oído a los demonios hablar con una protesta muy violenta. Un demonio me pidió no enviarlo a Africa, quejándose del exceso de calor allí. Por alguna razón, obviamente prefería permanecer en una sola localidad.

¿Por qué los demonios en el gadareno le pidieron a Jesús que los enviara a los cerdos y por qué les dio tal permiso? Seguramente el Señor no tenía ninguna clase de simpatía por los demonios. Su razón debe haber tenido como base el bienestar del hombre endemoniado. Mi propia teoría es que el hombre había sido severamente atormentado por una legión de espíritus que resistían la expulsión (Jesús nunca advirtió a los demonios no molestar a una persona a medida que salían). Como a los demonios se les permitió un lugar seguro para ir, no opusieron resistencia. Así pronto resultó que los cerdos fueron destruidos y los demonios quedaron de nuevo sin un *"hogar"*.

Los demonios prefieren habitar a los seres humanos. Su segunda elección es un animal. No es muy satisfactorio para mi orgullo darme cuenta que si un demonio no puede habitarme, su segunda opción puede ser un cerdo. Los demonios pueden habitar, y de hecho viven, dentro de animales.

6. ¿Se puede prohibir a los demonios que vuelvan a entrar en una persona?

Se nos dice que Jesús solamente en una oportunidad prohibió regresar a los demonios. Fue el caso del muchacho en poder de un espíritu sordo y mudo, que fue traído a Jesús por su padre.

> "Y cuándo Jesús vio que la multitud se agolpaba, reprendió al espíritu inmundo, diciéndole: Espíritu mudo y sordo, yo te mando, sal de él, y no entres más en él" (Marcos 9:25).

Este parece ser un procedimiento excepcional. Como hemos visto en Mateo 12: 43-45, el demonio intentará regresar y tendrá éxito al hacerlo, a menos que la persona li-

berada haga lo que es necesario para mantenerlo fuera. En
el caso de los niños, los padres son los guardianes espirituales. El padre en el ejemplo en cuestión, mostró una debilidad en su fe cuando dijo, "Creo; ayuda a mi incredulidad".
Jesús estaba alentando la fe del hombre cuando fueron interrumpidos por la multitud que se juntaba. Puede haber sido entonces un acto soberano de Jesús en favor de un niño
que no tenía una adecuada protección espiritual por parte
de su padre.

Este ejemplo no parece ser prueba suficiente como
para sobre él construir todo un patrón de conducta. Si en
todos los casos tuviésemos la autoridad para prohibir el regreso a los demonios, se simplificaría la liberación, pero
también se eliminaría el esfuerzo para permanecer libres y
que tiene la gran utilidad de fortalecer al creyente. Con seguridad el Señor nos dará dirección en cualquier situación
donde él tenga como propósito limitar la actividad de un
demonio y negarle su regreso posterior a una persona. Dios
es capaz de limitar el poder de Satanás contra una persona.
El diablo tuvo que pedir permiso a Dios antes de poder
volverse de nuevo contra Job:

"Satanás: He aquí, él está en tu mano; mas guarda su vida"
(Job 2: 6).

Si Dios muestra por una palabra de conocimiento,
que a un demonio se le debe prohibir volver a habitar de
nuevo en una persona, uno puede entonces decirle al demonio, "Con la autoridad del Señor Jesucristo, te ordeno
que no entres más en él".

7. ¿Se pueden limpiar las casas de espíritus malignos?

Debido a mi trabajo con demonios en el ministerio de
la liberación, he escuchado informes de actividades demoníacas poco comunes en relación con casas y objetos. Frecuentemente se me pide expulsar demonios de las casas. Se
sabe desde hace mucho tiempo que los libros y los objetos
identificados con algo que se relacione con el reino de Satanás, atraen a los demonios. Las actividades pecaminosas
por parte de residentes anteriores son responsables de que
algunas casas necesiten ser limpiadas. Muchos han mencionado voces o sonidos que se escuchan en sus casas. A tales

manifestaciones se les llama a veces *"poltergeist"* una palabra alemana que significa "fantasmas ruidosos o golpeadores".

Mientras se ministraba a una niña de nueve años, la mamá nos dijo que la pequeña se levantaba cada noche hacia la medianoche. La madre estaba muy preocupada y no veía una razón para esa conducta. La ministración de la niña no mostró nada sospechoso. Entonces pedimos examinar el dormitorio y encontramos tres cosas que según habíamos descubierto antes, podían atraer a los espíritus del mal. Había un libro sobre una bruja, seguramente obtenido en la biblioteca de la escuela. Luego, un juguete de felpa, una rana muy grande. Y encima de la cama un móvil donde danzaban más o menos unos seis buhos o lechuzas que parpadeaban en la oscuridad.

La familia estuvo de acuerdo en quitar estos objetos y destruirlos. Ordenamos a todos los demonios que se escondían en la habitación salir inmediatamente en el nombre de Jesús y luego pedimos que la pieza y la niña fueran cubiertas con la sangre de Jesús.

Desde entonces la niña ha dormido con entera tranquilidad y mucha paz.

¿Qué acerca de las ranas y de los buhos o lechuzas? Estos animales se clasifican entre las criaturas mencionadas en Deuteronomio 14: 7-19 como seres inmundos y abominables. Son ejemplos o tipos de espíritus diabólicos. Mi ministerio me ha llevado a muchas casas y me he dado cuenta cómo muchas de estas criaturas inmundas se convierten en objetos de arte que se usan en decoración. Esto es especialmente cierto de los buhos o lechuzas y de las ranas. Es más que una coincidencia que ambas criaturas sean de la oscuridad. Salen sólo de noche para cazar su presa. Los demonios son asimismo criaturas de las tinieblas. No pueden obrar en la luz.

Vimos también un niño de doce años que tenía dificultades para conciliar el sueño. Era muy nervioso y todo lo asustaba. La casa estaba atestada de muchos objetos traídos de Africa. Había una máscara de hechicero y varios fetiches usados por los médicos brujos y en la adoración pagana. Muchas veces el valor sentimental o económico de tales objetos significan más para las personas que el bienes-

tar de la familia. Oigamos lo que Dios dijo a su pueblo Is-
rael sobre tales cosas:

> "Las esculturas de sus dioses quemarás en el fuego, no codi-
> ciarás plata ni oro de ellas para tomarlo para ti, para que no
> tropieces en ello, pues es abominación a Jehová tu Dios; y
> no traerás cosa abominable a tu casa, para que no seas ana-
> tema; del todo la aborrecerás y la abominarás, porque es
> anatema". (Deuteronomio 7: 25-26).

A los denomios les atraen definidamente las casas con
objetos y literatura que pertenecen a falsas religiones, a
sectas, a cosas del espiritismo y del ocultismo. Tales mate-
riales se deben quemar o destruir en forma semejante. Las
casas o los edificios sospechosos de estar invadidos por demonios se deben limpiar mediante la autoridad del nombre
de Jesús. Quienes viven en tales lugares deben permanecer
en la provisión de la sangre de Cristo.

8. ¿Es necesario llamar a los demonios por nombres específicos?

Algunas cosas interesantes resultan en el curso de las
ministraciones de liberación con respecto a los nombres o
designaciones para los demonios. Hay veces en que los demonios saldrán sin ser llamados con un nombre específico.
Tal liberación puede continuar por una hora inclusive sin
que se nombre ningún espíritu específico. En otras ocasiones sucede justamente lo contrario. Ningún demonio saldrá
sino hasta cuando sea llamado por su nombre.

En una liberación había llamado y expulsado un demonio de *rechazo*. Más tarde pude discernir un espíritu de
temor al rechazo. Entonces pregunté ¿Por qué estás aún
allí? ¿Por qué no saliste cuando llamé al rechazo?" Y el
demonio respondió, "Porque no me llamaste por mi nombre. Yo no soy *rechazo*; soy *temor al rechazo*".

Los demonios usualmente responderán a una descripción de lo que producen. Por ejemplo, "Tú, demonio que
haces que esta persona tenga esos malos sueños y pesadi-
llas nocturnas, fuera en el nombre de Jesús". La mayoría
de los demonios aceptará este acercamiento en lugar de un
título específico, y tendrá que salir.

Personalmente creo que la insistencia de un demonio para que se le llame con un nombre específico es una táctica dilatoria. He escuchado que tales demonios se resisten a salir y declaran, "Pero, ese no es mi nombre". En tales casos usualmente digo, "Bueno, tendrás que irte de todas formas, fuera contigo". Y deben salir.

El valor principal de conocer los nombres o designaciones de los demonios, es hacer que la persona a quien se está liberando sepa lo que ha tenido lugar. Cuando cualquiera de los demonios intenta regresar, es importante conocer cuáles han sido expulsados. De esta manera la persona debe estar alerta y también puede tratar con esa área en la carne como para cerrar la puerta contra los demonios que procuran volver.

Algunos demonios son muy jactanciosos. Parecen gozar cuando dicen sus nombres. Uno de tales espíritus habló altivamente "Soy el único que él ha dejado", y así reclamaba que era el último demonio en salir; y continuó, "Soy el orgullo. Todo orgullo viene por mí".

CAPITULO 23

La Batalla Final

Todos sabemos por la historia de la Biblia que Dios en muchas oportunidades habló a sus siervos por medio de visiones y sueños. En el día de Pentecostés el apóstol Pedro citó al profeta Joel:

"Y en los postreros días, dice Dios, derramaré de mi Espíritu sobre toda carne, y vuestros hijos y vuestras hijas profetizarán; vuestros jóvenes verán visiones, y vuestros ancianos soñarán sueños" (Hechos 2:17).

En julio 9 de 1970 el Señor me habló en un sueño espiritual. Me aclaró que iba a ministrar la verdad mostrada en ese sueño. Ruego que sea una bendición e inspiración para ustedes, como lo ha sido para muchos otros a quienes se ha compartido.

EL SUEÑO

Cuando el sueño comenzó me vi entrando a un gran estadio. Las filas estaban completamente llenas de gente, y había un aire de excitación y de expectación sobre lo que iba a suceder. Era un juego de beisbol y yo iba a ser uno de los jugadores. Ya estaba con mi uniforme. El uniforme de mi equipo era rojo y blanco. Vi los miembros del equipo opuesto con uniforme negro y blanco.

Cuando entré al campo me di cuenta que todo mi equipo estaba en el borde, en una controversia sumamente fuerte con los miembros del equipo contrario, como no quise tomar parte en la discusión, fui hacia el campo y esperé que los demás compañeros se me unieran allí. Cuando pasé al campo uno de los jugadores adversarios salió conmigo. Mi mente estaba muy preocupada en adelantar el compromiso. De acuerdo con la posición del sol supe que quedaban más o menos dos horas de luz del día. La acción se debía iniciar muy pronto.

Por último, la discusión en el borde se acabó y los equipos comenzaron a tomar sus posiciones. El nuestro estaba en el campo y el contrario iba a batear. Salí hacia el jardín izquierdo cuando me di cuenta que aún no se me había asignado la posición donde jugaría. Busqué a mi entrenador y vi que estaba en medio del campo. Me hizo señas para indicarme cubrir la tercera base, e inmediatamente tomé mi puesto allí.

Nuestro equipo comenzó a animarse y todos nos gritábamos palabras de aliento uno a otro, para entrar en el espíritu del compromiso. En seguida empezamos a hacer nuestros ejercicios de calentamiento: estirar los brazos, flexionar las rodillas y doblar la espalda. Ahora era el momento de principiar el juego.

El lanzador arrojó la primera bola al plato. El bateador contrario la devolvió con toda su fuerza. Golpeó una pelota que salió alta, muy alta. La observé a medida que iba sobre mi cabeza, hacia atrás, mientras caía en falso, fuera del campo de juego. El temor apretó mi corazón, pues pensé, "Si todos sus jugadores son tan fuertes, ¿qué posibilidades tenemos?" Me di cuenta que debía estar muy alerta y equilibré mi peso de un pie al otro. Si la bola siguiente venía en mi dirección debía ser tan ágil como un gato, listo para saltar en cualquier sentido, agarrarla y poner fuera al jugador. En este punto mi sueño terminó. Cuando desperté y comencé a recordar el sueño, mi respuesta inicial fue una frustración. Me encanta el beisbol y me desilusionó mucho que el juego no hubiera terminado en el sueño.

La interpretación

Un sueño espiritual no se puede describir, se debe interpretar. A medida que el Espíritu Santo me recordó el sueño en la mañana siguiente, comenzó a darme la interpretación. Tomé un papel y un lápiz y empecé a escribirla, tan rápido como podía. Todo se me aclaró en pocos instantes y quedó escrita sin interrupciones, tal como el Espíritu Santo me la fue dando.

El campo de juego representaba el mundo total, todo el universo. Las filas llenas de espectadores se refieren al cuadro que aparece en Hebreos 12:1.

"Por tanto nosotros también teniendo en derredor nuestro tan grande nube de testigos".

El Señor me dijo que quienes estaban en los asientos constituían la gran nube de testigos. Eran todos los cristianos que habían vivido antes y que ahora miraban hacia abajo, al mundo, desde sus posiciones celestiales. Todos los patriarcas y los santos del Antiguo y del Nuevo Testamento estaban en esas filas. Allí se encontraban Abraham, Jacob, Isaac, José, David, Daniel, Jeremías, Isaías, Pedro, Santiago, Juan, y todos los demás. Eran quienes habían estado en las carreras de relevos en las generaciones anteriores. Muchos lo habían hecho bien y se encontraban en el salón de la fama como aparece registrado en el capítulo 11 de la Carta a los Hebreos. Miraban con una profunda expectación para ver cómo los que estábamos en el campo, los de esta generación, lo íbamos a hacer.

Luego el Señor me dijo, "Esta es la serie mundial. Este es el último encuentro entre las fuerzas del mal y las fuerzas de la justicia. Esto va a decidir el campeonato mundial".

Nuestros uniformes eran rojo y blanco. El rojo representa la sangre de Jesús. Señala a quienes pertenecemos a Cristo. La sangre habla de nuestro poder en el Señor.

"Y ellos le han vencido (a Satanás) por medio de la sangre del Cordero y de la palabra del testimonio . . ." (Apocalipsis 12:11).

El blanco significa la pureza. Quienes se hallan hoy en el equipo del Señor se deben distinguir por la pureza. El Espíritu está haciendo un énfasis muy fuerte en la santidad personal y en la rectitud práctica. No hay tiempo para caminar con un pie en el mundo y el otro en el reino de Dios.

El equipo contrario estaba vestido de negro y blanco. Lo negro es el símbolo del mal. Caracteriza a Satanás y a sus obras perversas. El equipo rival se identificaba claramente como del diablo y sus huestes de demonios espirituales. Pero me sentí confundido. El equipo del mal también tenía blanco en sus uniformes. ¿Qué significaba esto? Mientras esta pregunta se formaba en mi mente, el Espíritu Santo me dio la respuesta. Lo negro y lo blanco representan una mezcla del bien y del mal. Satanás nunca nos llega con toda la negrura del mal. Viene también con blanco. Lo negro y lo blanco ilustran una mezcla de *verdad* y *error*. Esta es una de las mayores estratagemas de Satanás, la mezcla. Hoy, como nunca antes, hay una mezcla del bien y del mal, de la verdad y del error.

> "Pero el Espíritu dice claramente que en los postreros tiempos algunos apostatarán de la fe, escuchando a espíritus engañadores y a doctrinas de demonios" (1 Timoteo 4:1).

¿Por qué estaba yo en este juego? El Señor me mostró que mi presencia en el encuentro era para representar a una persona. Representaba a muchos cristianos que se mueven en el campo de la batalla espiritual para llevar la ofensiva contra las fuerzas del maligno.

Pregunté, ¿Pero, Señor, por qué todos mis compañeros estaban en el borde y discutían con los miembros del equipo contrario? El Señor me explicó que esa era justamente otra táctica del enemigo. Procura llevar a las gentes de Dios a los límites, fuera de la acción principal, para mantenerlas atadas. Me demostró que esto representaba las divisiones del cristianismo *denominacional*. El demonio tiene a los cristianos en el borde, para defender sus propias doctrinas y tradiciones, sin darse cuenta que han sido engañados por el diablo. Es tiempo para que la gente de Dios se unifique; se convierta en una unidad, y vaya a los asuntos que están a la mano. En realidad, esto es lo que sucede como resultado del gran derramamiento del Espíritu Santo a través de todo el mundo hoy.

Mi preocupación era que el día iba a terminar. Quedaban sólo un par de horas de luz diurna. En verdad, la noche viene cuando nadie puede trabajar. Estamos viviendo las horas finales en la historia de la humanidad. Debemos estar seguros que todo minuto es valioso. Debemos darnos cuenta que como cristianos tenemos que ir al campo y derrotar a Satanás y a sus huestes.

Finalmente los equipos comenzaron a moverse hacia el campo, pero un hombre no constituye un equipo. La fase de la vida de iglesia donde nos movemos, requiere trabajo en equipo, es decir unidad. El Señor entonces me recordó que hay nueve jugadores en un equipo de beisbol. El número nueve sugiere los *nueve dones* y los *nueve componentes del fruto* del Espíritu Santo. Quienes están en el equipo del Señor en este conflicto final con las fuerzas de Satanás, obrarán bajo la dirección del Espíritu Santo. Los dones del Espíritu, la palabra de sabiduría, la palabra de conocimiento, la fe, los dones de sanidades, los dones de milagros, la profecía, el discernimiento de espíritus, los diversos géneros de lenguas y la interpretación de lenguas (1 Corintios 12: 8-10), obrarán en su ministerio. El fruto del Espíritu, amor, gozo, paz, paciencia, bondad, benignidad, fe, mansedumbre, templanza, será puesto en evidencia (Gálatas 5: 22-23).

Alabado sea el Señor. El está colocando su equipo en el campo en nuestros días. Es un equipo *lleno del Espíritu*. Los dones del Espíritu están siendo restaurados a su iglesia. El fruto se demuestra entre la gente de Dios como nunca antes. Las barreras que nos han separado y nos han mantenido aparte uno de otro están siendo vencidas. Las divisiones denominacionales se están acabando. Las cuestiones doctrinales que dividen a la iglesia cada día se entierran más. ¡Jesús es el Señor! Estamos experimentando el flujo del amor. Estamos en un terreno común. Podemos adorar y ministrar juntos bajo el Espíritu Santo.

Cuando me moví al campo un miembro del equipo contrario se movió conmigo. En la vida real me muevo al campo de batalla cuando experimento el Espíritu Santo. Al ser dotado de poder, me convierto en una amenaza para el diablo. Después de esa experiencia los dones del Espíritu comenzaron a obrar en mi ministerio, y todo el poder resultante se dirigió contra el demonio. El bautismo en el Espíritu Santo ciertamente no puso final a todos mis problemas. En verdad, mis problemas parecen ser mayores que antes. De la noche a la mañana casi todos mis amigos se volvieron enemigos, pues me rechazaron y me acusaron de orgullo y engaño. El temor se apoderó de mi corazón y me preguntaba qué sería de mí. Las potestades diabólicas se habían movido al campo para enfrentarme.

En este punto me encontraba en el jardín izquierdo.

¿Sabe usted qué significa estar en el jardín izquierdo? Esta expresión se usa para describir a una persona que se halla confundida y que no sabe de dónde es vecina. Sabía que estaba en la lucha y en el campo, pero no tenía idea cuál era mi parte. Esto en una forma muy gráfica y adecuada describía mi dilema después del bautismo en el Espíritu Santo. ¿Y no describe también así a muchos cristianos? Están en el jardín izquierdo. En realidad nunca han encontrado la voluntad de Dios para sus vidas. Están caminando sin ningún objetivo. No son de ayuda real para el equipo. El puesto que deben ocupar queda vacío. Hay una falta en las filas. Pero el entrenador estaba allí, listo para dar la dirección correcta. ¿Quién es el entrenador? Es el Espíritu Santo. Y, ¿dónde se va a encontrar? Hay una situación extraña en el sueño. Por regla general el entrenador está por los lados del campo o en el foso ("Dugout"). Pero aquí el entrenador estaba justo en la mitad del campo. ¿Dónde está el Espíritu Santo en el día de hoy? Está justo en medio de nosotros. Está allí para darnos dirección a medida que le miremos. Me mostró que yo debía pasar a la tercera base. Pronto veremos el significado de esto.

En un instante los diversos miembros del equipo rápidamente ocuparon sus puestos. El juego pronto seguiría. Nosotros comenzamos a alentarnos uno a otro con palabras de ánimo. Oh, qué hermosísimo el cuadro de la iglesia.

"Y considerémonos unos a otros para estimularnos al amor y a las buenas obras; no dejando de congregarnos, como algunos tienen por costumbre, sino exhortándonos; y tanto más, cuanto veis que aquel día se acerca" (Hebreos 10: 24-25).

Luego empezaron nuestros ejercicios. El Señor me mostró que el ejercicio físico de los jugadores es paralelo con los ejercicios espirituales del cristiano. Si vamos a estar en forma para el conflicto espiritual, debemos seguir las reglas y las disciplinas del ejercicio espiritual, flexionando nuestras rodillas en la oración, levantando nuestros brazos en alabanza, inclinando nuestros lomos en la adoración. ¡Aleluya! Los participantes en los encuentros de un campeonato mundial siempre están en la mejor condición. Que no se diga de nosotros:

" . . . Porque los hijos de este siglo son más sagaces en el trato con sus semejantes que los hijos de luz" (Lucas 16:8b).

Si los hombres en los deportes pueden disciplinar sus vidas y permanecer en óptima forma para ganar una corona terrenal, mucho más debería el cristiano estar listo, pagar el precio, y completamente preparado para el mayor conflicto de todos.

Ahora era el momento de iniciación del encuentro. Dios me mostró que nuestro equipo estaba en el campo defensivo. Me dijo que su gente había estado en esta posición ya por bastante tiempo. Era la oportunidad para ganar de mano al diablo y pasar a la ofensiva. Una buena defensa es importante pero los puntos los anota el equipo ofensivo. Por medio de la batalla espiritual, hoy la iglesia toma la ofensiva. Los demonios están siendo expulsados. Los principados y las potestades de las tinieblas espirituales están siendo asaltados y derrotados. Jesús una vez dijo,

"Mas si por el dedo de Dios echo yo fuera los demonios, ciertamente el reino de Dios ha llegado a vosotros" (Lucas 11:20).

Hoy es el día de la guerra espiritual y de la victoria espiritual. Antes que el reino de Dios se pueda convertir en una realidad en tu vida o en la mía las fuerzas del infierno que nos obstaculizan se deben enfrentar y se deben vencer. Antes que la iglesia pueda cumplir con lo que el Señor profetizó respecto a su iglesia victoriosa (Mateo 16:18) debe tomar la ofensiva contra el diablo. El mensaje y la práctica de la batalla espiritual se extienden rápidamente hoy a toda la iglesia. Se está resistiendo al diablo y se ve obligado a huir. Por primera vez le vemos las espaldas. Es una vista muy bonita.

Me acuerdo de la historia de los muchachos que un día jugaban pelota en el campo. Un hombre que pasaba le preguntó a uno cómo iba el juego. El niño contestó que estaba yendo bien. El hombre averiguó el puntaje. El muchacho dijo 35 a 0. El hombre quiso saber a favor de quién. El muchacho le respondió que era favorable al equipo rival. Entonces el hombre comentó que el equipo del muchacho estaba siendo derrotado. El muchacho lo miró con admiración y le dijo, "No, no señor. Nosotros no estamos derrotados". Ahora fue el hombre quien quedó confundido y quiso saber por qué el joven decía que no estaban vencidos cuando tenían un puntaje de 35 a 0. Pero el muchacho explicó, "Señor, todavía no hemos pasado a batear".

He aquí un cuadro de la iglesia. El demonio ha estado anotando todos los puntos, pero ahora es el momento para que la iglesia salga a la ofensiva y derrote al diablo. ¡Amén!

Luego, se iba a lanzar la primera bola. El bateador golpeó la pelota muy duro. La bola salió muy alta y lejos, pero se fue en falso. El Señor me dijo, "Quiero mostrarte la obra del enemigo. Es como esa pelota que fue bateada. El enemigo tiene algo de poder. Y todo lo que hace es a menudo muy alto, muy fuerte y muy impresionante pero es falso siempre, en todo momento".

El temor que atenazó mi corazón es común a muchos de los siervos de Dios cuando ven todo lo que el diablo hace. Se maravillaban y se preguntaban si hay alguna posibilidad de victoria. Entonces comienzan a pensar en términos de ser sacados en un rapto. Pero Dios no alienta ni estimula esa clase de iglesia. El es el Señor de una iglesia militante. El ha estado esperando que una generación como la nuestra tome el campo. Bajo su liderazgo se hará. El contrario será derrotado. ¿Estás tú en el equipo? ¿Estás tomando la ofensiva contra el diablo?

En este punto del sueño me di cuenta que debía estar listo. Debo hacer lo mejor a mi alcance. Debo ser capaz de moverme en todas las direcciones necesarias y poner fuera al enemigo.

> "Mirad, pues con diligencia cómo andéis, no como necios sino como sabios, aprovechando bien el tiempo, porque los días son malos" (Efesios 5: 15-16).

El sueño parecía haber terminado prematuramente. Pregunté al Señor por qué no se me permitió ver el final del juego. A su vez el Señor me preguntó, para qué quería yo ver el final. Le expliqué que estaba deseoso de conocer el resultado. El Señor entonces dijo una cosa muy linda, "Hijo", me contestó "no necesitas conocer el resultado; ya lo sabes. Mi palabra ha prometido que tanto tú y todos los que están contigo son del equipo ganador. Y será así

como yo lo he dicho. Ahora, no es necesario que conozcas
el resultado, sino es necesario que sepas que el conflicto final ya comenzó".

Sí, querido hermano en Cristo, estamos en el fin de
los tiempos. El encuentro final entre las fuerzas de Satanás
y el ejército de Dios está ya en camino. Vemos las pruebas,
las evidencias, por todas partes. Hay una llamada al combate. No hay más tiempo para perder. La batalla ya va a comenzar. ¿Has hecho ya tu decisión? ¿Estás listo?

La consecuencia

La interpretación del sueño no había terminado. Se
me dio el significado de las bases. La primera base representaba las *relaciones sociales*, la segunda base las *relaciones de negocios*, y la tercera base las *relaciones de la iglesia*.
De ahí por qué fui asignado a la tercera base. Se me enco-
mendó eliminar al diablo, echarlo fuera, cuando procurara
ganar la tercera base, es decir, la iglesia.

El "home", la base "home" representaba justamente
lo que ha significado, las *relaciones del hogar*. El Espíritu
me mostró que todo comienza en la casa y termina en la
base del hogar. Cuando los miembros del equipo del Señor
pasaran al bate deberían comenzar en el "home" y golpear
desde allí. No importa cuán impresionantemente se corran
las bases de los aspectos sociales, de los negocios, o inclusive los de la iglesia, si no se ha comenzado correctamente en
el "home", en el hogar, no son nada, son hipócritas.

Dios está dando hoy un énfasis muy fuerte en la vida
correcta de hogar. Es necesario colocar nuestras casas en orden. Dios está restaurando la autoridad del padre y del esposo a su lugar de preeminencia en el hogar. El hogar se debe convertir en el centro de la vida espiritual. Este es el orden divino de Dios. No podemos estar en lo correcto en
ninguna otra relación en la vida, sino hasta cuando nuestras
vidas en el hogar sean correctas. El equipo del diablo está
lanzando bolas muy rápidas, con curvas, hacia el hogar.
Primero que todo, se debe derrotar al diablo en sus embes-
tidas contra nuestros hogares. Cada miembro de la familia
debe asumir el papel que Dios ha ordenado:

"Las casadas estén sujetas a sus propios maridos, como al
Señor. Maridos, amad a vuestras mujeres, así como Cristo

amó a la iglesia, y se entregó a sí mismo por ella . . . Hijos, obedeced en el Señor a vuestros padres, porque esto es justo" (Efesios 5: 22, 25 y 6: 1).

La primera prueba para la vida cristiana comienza en el hogar. Si el amor, el gozo, y la paz del Espíritu Santo no brillan en nuestras vidas, en relación con los miembros de nuestro propio hogar, entonces Satanás ha alcanzado una victoria sobre nosotros. Cuando es aparente que Satanás ya obtuvo algo en nuestro hogar, por medio del control al ego, entonces hay un llamado a la batalla espiritual. Derrota al diablo en tu propia vida y en tu familia y entonces serás capaz de llevar la batalla a otras áreas de la existencia.

En su parábola de la paja y la viga Jesús nos demostró que debemos colocar nuestra propia vida en orden, antes que podamos ministrar a otros. Asegurémonos que *no haya cerdos en nuestras propias salas.*

Versión Castellana por Misión Suramérica
Pablo Barreto, M.D.

Serie: LA ESQUIZOFRENIA

SFIH1-001	La Esquizofrenia No. 1
SFIH1-002	La Esquizofrenia No. 2
SFIH1-003	La Esquizofrenia No. 3
SFIH1-004	La Esquizofrenia No. 4
SFIH1-005	La Esquizofrenia No. 5
SFIH1-006	La Esquizofrenia No. 6

Serie: LA DISCIPLINA DEL HOMBRE ESPIRITUAL

SFIH2-007	La Disciplina y su Liberación
SFIH2-008	Ministración de Disciplina y Liberación
SFIH2-009	Del Espíritu y las Emociones
SFIH2-010	Del Cuerpo y los Deseos
SFIH2-011	La Disciplina Total
SFIH2-012	Oración Sobre Disciplinar el Cuerpo

Serie: LA FAMILIA

SFIH3-013	La Familia No. 1
SFIH3-014	La Familia No. 2
SFIH3-015	La Familia en Profecía No. 1
SFIH3-016	La Familia en Profecía No. 2
SFIH3-017	Metas Bíblicas de una Familia
SFIH3-018	Cómo Disciplinar y Entrenar a tus Hijos No. 1
SFIH3-019	Cómo Disciplinar y Entrenar a tus Hijos No. 2
SFIH3-020	Cómo Disciplinar y Entrenar a tus Hijos No. 3
SFIH3-021	La Ministración de los Niños
SFIH3-022	La Santificación de la Esposa Nos. 1 y 2

Serie: ATANDO EL HOMBRE FUERTE

SFIH4-023	Atando el Hombre Fuerte No. 1
SFIH4-024	Atando el Hombre Fuerte No. 2
SFIH4-025	Cómo Tratar con el Diablo

Serie: PRINCIPIOS DE LA LIBERACION

SFIH5-026	Principios de la Liberación
SFIH5-027	Preguntas y Respuestas Sobre la Liberación
SFIH5-028	Formas en que Abrimos la Puerta a los Demonios en Nuestra Vida No. 1
SFIH5-029	Formas en que Abrimos la Puerta a los Demonios en Nuestra Vida No. 2
SFIH5-030	Cómo Funciona el Espíritu de Rechazo
SFIH5-031	Liberación de Espíritu de Rechazo No. 1
SFIH5-032	Liberación de Espíritu de Rechazo No. 2

PRECIOS: (Incluído el envío)

Audio—Casete: $ 4.00 U.S. o su equivalente en pesos.

Video—Casete: Pedido mínimo 2 horas. Para un precio de 20.00 U. S. o su equivalente en pesos.

PEDIDOS A: Misión Sur América
A. A. 25.500
Cali, Colombia